AMANHÃ VAI SER PIOR

O BRASIL SEGUNDO A GALÃS FEIOS

HELDER MALDONADO
MARCO BEZZI

KOTTER
EDITORIAL

CB055414

Copyright ©Helder Maldonado, 2020

Direitos reservados e protegidos pela lei 9.610 de 19.02.1998.
É proibida a reprodução total ou parcial sem autorização, por escrito, da editora.

Coordenação editorial: Sálvio Nienkötter
Editor-executivo: Raul K. Souza
Editora-adjunta: Isadora M. Castro Custódio
Editores assistentes: Daniel Osiecki e Francieli Cunico
Capa: Bruno Evangelista Garcia
Projeto gráfico: Carlos Garcia Fernandes
Revisão: Marcos Pamplona
Produção: Cristiane Nienkötter
Preparação de originais: o Autor

Dados Internacionais de Catalogação na Publicação (CIP)
Angelica Ilacqua CRB-8/7057

Maldonado, Helder
   Amanhã vai ser pior : o Brasil segundo os Galãs Feios / Helder Maldonado e Marco Bezzi. -- Curitiba : Kotter Editorial, 2020.
   168 p.

ISBN 978-65-86526-75-2

1. Crônicas brasileiras - Humor, sátira, etc. I. Título II. Bezzi, Marco

CDD B869.8

20-4388

Kotter Editorial Ltda.
Rua das Cerejeiras, 194
CEP: 82700-510 - Curitiba - PR
Tel. + 55(41) 3585-5161
www.kotter.com.br | contato@kotter.com.br

Feito o depósito legal
1ª Edição
2020

AMANHÃ VAI SER PIOR

O BRASIL SEGUNDO A GALÃS FEIOS

HELDER MALDONADO
MARCO BEZZI

Na chamada "era da informação", nada é mais disputado do que a atenção das pessoas. Somos mais de 3,5 bilhões de pessoas conectadas através de redes sociais, consumindo mais de um bilhão de horas de vídeos por dia (só no *Youtube*)! E é exatamente por ter tanta informação à disposição que criamos mecanismos mentais para simplificá-las e processá-las. O que nos fez paradoxalmente a geração com maior acesso à informação que já pisou sobre a terra e, ao mesmo tempo, a mais superficial ao utilizá-la. Nos tornamos, portanto, solo fértil para *Fake News*, teorias conspiratórias e intelectuais de botequim. Não tardou até que passássemos a ser governados por totais imbecis.

Mais do que nunca precisamos de maneiras para quebrar esta hipnose coletiva. "Desemburrecer". Acordar para o óbvio. E não tenho dúvidas que o humor é uma das melhores maneiras. Marco Bezzi e Helder Maldonado nos prestam um serviço muito maior do que o de tornar nossos dias mais leves e divertidos. Nos ajudam a ver uma realidade perversa que há muito tempo já ultrapassou todos os limites do tolerável. Salve os Galãs Feios! Estes mal diagramados gênios da irreverência!

Eduardo Moreira

Prefácio por Alysson Leandro Mascaro

Helder Maldonado e Marco Bezzi apresentam, neste *Amanhã vai ser pior*, uma dúplice análise viva da sociedade: em primeiro lugar, tratam do tempo presente, de personagens e situações que se sucedem numa escalada de exploração, dominação, opressões, violências, resistências e lutas; em segundo lugar, o fazem trazendo à tona a cultura, a tecnologia, as celebridades, as pessoas e os fatos que têm – ou não – seus minutos de fama no desenrolar de uma história que, aqui, tanto é consolidada quanto é perspectivada pelo que nela há de mais insólito, pitoresco, curioso, heroico, trágico ou cômico.

Maldonado e Bezzi transcrevem exemplarmente, para estas páginas, o espírito do *ridendo castigast moris* dos antigos, mas com a roupagem ágil, perspicaz e contundente de quem está emparelhado com os acontecimentos. A ditadura de 1964 conheceu em Stanislaw Ponte Preta, com o seu *Febeapá – O festival de besteira que assola o país –*, o retrato mais bem-acabado do descalabro daquele período. O momento presente do Brasil, outra vez de crise e golpe, tem neste *Amanhã vai ser pior*, certamente, o Febeapá dos novos tempos.

Este é um livro de posições polêmicas e busca intervir na polêmica que alimenta as redes sociais e o mundo da internet dos dias de hoje. É um registro de um tempo que tem que se entender enquanto se desenrola, em face da degradação do mundo e, em especial, em face da luta para superar o mundo no qual os sujeitos dos palcos dos celulares, dos computadores e da vida presencial são o suporte para o Sujeito capital.

Neste livro bem-diagramado, a vida de uma sociedade mal diagramada.

Prefácio por Marco Bezzi

– Fala, seus mal diagramados!
– Salve, salve, galãs e galoas!
Nos últimos dois anos é assim que eu e Helder Maldonado iniciamos nossas manhãs. Para que você assista aos quase três conteúdos diários do nosso canal aí do outro lado, somos obrigados a nos falar logo cedo (não é fácil ter de ouvir aquela voz de Tiago Leifert da esquerda nas primeiras horas da manhã). Discutimos os assuntos que podem se transformar em vídeos e lives, Helder costuma escrever os roteiros, gravamos, eu edito ou passo para a nossa equipe editar, crio a thumb (a capinha que você vê quando clica nos nossos vídeos), planejo o lançamento, espalho o conteúdo por todas as redes. Cansei. Quando vou ver já estamos nos preparando para a Live das 15h. E ainda tem o vídeo da noite. Não sempre. Até porque ninguém precisa ver a nossa cara três vezes num só dia. Nem nossas mulheres merecem esse mal.

Para alguém como eu, com meus 46 anos, ter essa rotina diária não era algo que eu imaginava para este momento de inferno astral ininterrupto chamado vida. Eu já havia ralado bastante como repórter de jornal e revista. Havia juntado exatos zero reais, mas queria acreditar que era possível ter uma vida menos atribulada. Nos últimos anos havia virado chefe nas redações que trabalhei. Planejava, organizava as pautas, direcionava repórteres e estagiários, trabalhava um pouco menos e ganhava um pouco melhor. E foi em uma dessas passagens como editor de entretenimento na Record que eu conheci o Helder. Na minha segunda peregrinação pela igreja... digo, casa comandada pelo Edir Macedo, se não me engano em 2016 (sou péssimo com datas), eu era o chefe daquele baixinho marrento que sentava no canto da bancada. Alguém me avisou que ele tinha uma página muito engraçada no Facebook chamada Galãs Feios. "Que nome estranho da porra", pensei.

Quando entrei na página, inúmeros amigos em comum já haviam estacionado seus perfis ali. Fui me aproximando do Helder ao mesmo tempo que ouvia de cada vez mais gente como a página era genial. As ideias, o conceito, o tipo de seguidores que se apaixonavam pelas postagens me chamaram ainda mais a atenção. Pensei naquela hora que todo aquele ódio festivo, que no início era direcionado aos galãs feios da TV, não poderia morrer quando ele tivesse algo monetariamente mais importante para fazer. Propus uma parceria, onde eu entraria com meu conhecimento do mercado e uma "fortuna" de uns R$ 10 mil para colocar em prática a nossa dominação mundial.

Fomos para o Instagram e para a nossa maior aposta: o YouTube. No começo, eu ficaria nos bastidores de tudo, cuidando de parcerias, novos negócios e das coisas burocráticas. Fui entrando sem querer em alguns vídeos (mentira, eu sou leonino) e gostamos do resultado da dupla que reage aos assuntos e ridiculices das celebridades brasileiras como um cospobre de Beavis & Butthead.

Intertítulo: O excrementíssimo Jair Bolsonaro

Já te falei aqui que concentrávamos todo nosso conteúdo em zoar pessoas famosas, estendíamos nosso trabalho que foi quase todo na área de cultura para o canal. Me lembro que perto do fim de 2017, com o YouTube ainda longe dos 100 mil inscritos, pensamos em parar. Mesmo com o reconhecimento de muitos e empilhando ótimas entrevistas com o pessoal do Choque de Cultura, Hermes e Renato, Lucas Jagger, João Gordo e tantos outros, não éramos viáveis monetariamente, não enxergávamos mais onde encontrar a fórmula para vivermos da plataforma. O "sonho" de ser um youtuber da terceira idade havia acabado. Mas aí veio o governo Bolsonaro. As eleições de 2018 se metamorfosearam no nosso assunto favorito. Fomos nos afundando nessa polarização política e comportamental, hackeamos e trouxemos o assunto para o canal.

No dia da posse do Bolsonaro, primeiro de janeiro de 2019, decidimos cobrir o evento do nosso jeitinho e entrar de cabeça em um período que pintava ser um pesadelo eterno. E vamos combinar que a cena do Carluxo sentado no cadeirão do carro que levava o Biroliro e a Dona Micheque pelas ruas de Brasília era o passe para a certeza de qual caminho esse governo iria tomar. Toda a depressão e raiva que esse traste me fez passar durante os meses de campanha eleitoral e eleição se transformariam numa força-tarefa que combinamos da seguinte maneira. Se antes lançávamos um, dois vídeos por semana, agora que eu havia me "reinventado" e aprendido a editar, deveríamos aproveitar o momento e lançar um vídeo por dia. Assunto não faltava. Iríamos atrás da nossa "meritocracia" escorado na tragédia que viria a ser este mandato presidencial.

Helder vinha gravar em casa duas vezes por semana. Quando chegava, a primeira coisa que costumava fazer era ir ao banheiro (dessa parte eu não sinto falta). Passaríamos três meses nesta dinâmica. Se desse certo, ótimo. Se não, terminaríamos nossa parceria. Deu certo. Para comemorarmos nossos 100 mil inscritos, chamamos o Suplicy. O pai do Supla cantou Racionais, Joan Baez, foi uma bênção. O canal cresceu (hoje já ultrapassou os 400 mil inscritos), as pessoas nos paravam na rua para parabenizar pelo conteúdo, conseguimos a admiração de políticos, atores, celebridades, youtubers e de pessoas como João Gordo, Mano Brown, Clemente dos Inocentes, Gastão – pessoas que eu admirava e que havia entrevistado nos anos que passei dentro e fora de uma redação como crítico de música.

Intertítulo: Pandemia

Mas não foram só os famosos que nos fizeram acreditar que estávamos correndo pelo caminho certo. Conseguimos montar uma comunidade incrível no YouTube e Instagram. De longe a melhor entre todos os canais: pessoas inteligentes, com opiniões fortes, verdadeiros personagens. Até que... veio o Coronavírus. Teríamos de nos separar, nos "reinventar" mais uma vez, gravar cada um na sua casa, discutir tudo remotamente. E talvez, talvez, fazer algumas lives, já que as pessoas estariam obrigatoriamente dentro de suas casas. E mais uma vez, uma tragédia nos fez acertar novamente a direção.

Nossas lives diárias, que acontecem de segunda a sexta-feira, viraram o diferencial do nosso canal. Chegamos a colocar 18 mil pessoas simultâneas na entrevista que fizemos com o Ciro Gomes. Trouxemos personagens com o DNA da Galãs como Léo Índio (o "primo" do Carluxo), Paulo Kogos e o Chorão das Manifestações para o dia a dia do nosso público nas lives. Conseguimos realizar lives solidárias e levantar uma boa grana para quem mais precisa neste momento de crise ininterrupta. Tudo graças aos nossos seguidores. A interação com nossos comentaristas é talvez, o melhor momento dos nossos dias.

O que você vai ler nas próximas páginas é um compilado dos melhores textos da Galãs Feios que foram transformados em vídeos no nosso YouTube. O resultado de quase dois anos de governo Bolsonaro, de conversas acaloradas, de tristezas, raivas e muitas risadas. Dos personagens bizarros como Mario Frias e Olavo de Carvalho, aos filhos do presidente (Flávio Desmaio Laranja, Dudu Poka Pika e Carluxinho) passando pelos blogueiros bolsonaristas como Allan dos Panos, tudo neste governo pode (e deve) ser tratado com humor e chacota. Nós preferimos tratar o assunto assim. É a nossa maneira de tentar nos vingar de todos os absurdos que enfrentamos diariamente. E está funcionado. Esperamos que você goste também da gente em papel. E mais do que nunca, você sabe... NÃO PASSARÃO!

Sumário

Mario Frias faz papel de otário	17
Dom Bertrand: segundo na linha sucessória de nada	21
Sergio Camaro: o sonho racista do bolsolavismo	25
Spike Lee, Racionais e o caso George Floyd	29
Black Lives Matter e Faça a Coisa Certa	31
Will Smith e Chris Rock	33
Como Felipe Neto se transformou em aliado contra o bolsonarismo	39
Collor e Roberto Jefferson se reinventam em meio à crise	43
Pescadores venezuelanos promovem Bacurau da vida real	47
O plano secreto do Olavo para tomada do poder	51
Regina Duarte morreu. Aldir, Moraes e Migliaccio não	55
Reforma Administrativa transforma Bolsonaro em ditador	59
Guardiões de Crivella e os Gladiadores do Altar	63
Rock não morreu, virou música de CEO e filiado do Novo	67
Bastidores de documentário provam o óbvio: Bolsonaro é despreparado	73
Flordelis: um caso de hipocrisia religiosa	79
Vampetaço, Burzum e os tupinivickings	85
Morte no Carrefour e a autoexploração sem fim	93

Campanha da Folha quer derrubar Bolsonaro com dancinha	99
Lava Jato e os golpes na América Latina	105
Flamengo, Sertanejo e o poder suave do bolsonarismo	111
Covid, sertanejo e repressão: disco do Ratos de Porão previu o Brasil	117
Rodrigo Maia, o liberalismo e o bolsonarismo	121
Thammy Miranda x Silas Malafaia	125
O cancelamento destruirá a esquerda?	129
Bilionários lucraram na pandemia	133
Reeleição de Bolsonaro e a Terra Plana	139
Japonês da Federal: mais um ídolo da direita que se deu mal	143
Ivanka Trump, Amoedo e a piada da meritocracia	147
Juninho Pernambucano entende o Brasil melhor que alguns políticos	151
A paralisação e a falta de empatia dos liberais	157
Passado secreto de Deltan Dallagnol	163

Mario Frias faz papel de otário

Ser fracassado é normal. Quase todo mundo é. O problema é o fracasso ressentido, um estilo que é muito comum dentro do Bolsonarismo e na classe artística falida – sim, eu estou falando do Mario Frias mesmo. Além de ridículo, o cara acredita que o mundo deve algo a ele e que só invejosos o criticam. Nunca vai chegar à conclusão de que é apenas muito ruim no que faz.

Nas ditaduras (vide fascismo e nazismo) quem ascende ao poder são estes tipos. Por saberem de sua incapacidade tentam se impor pela truculência. A evolução tira estes tipos do processo – caso contrário, moraríamos em cavernas. O ruim é que isso pode demorar. Depois que eles destruírem o país, vai sobrar pros competentes o consertarem, como ocorreu na redemocratização. Mas eles passam.

Mario Frias teve seu auge na Malhação. Qualquer coisa que fez depois, foi apenas por um motivo: era um galã com cara de "Príncipe da Disney". Quando os olhos azuis não sustentaram mais a presença dele na TV, foi descartado.

Ou seja: mais um que acreditou mesmo nos elogios da própria mãe e achou que daria certo como artista, mas pensava que poderia se manter na TV só com o tanquinho malhado. Hoje, sem tanquinho e sem espaço na TV, se agarra à última chance de desempenhar um papel, nem que seja o de otário. O pior é que uma pessoa como essa nunca chegará à conclusão de que o problema não é o mundo ou um suposto boicote que ela sofre. Afinal, autocrítica não é com gente assim. Ou já nos esquecemos do Cigano Igor falando que não deu certo na TV porque era Hétero, ou do Juliano Cazarré dizendo que sofre preconceito por ser de Pelotas?

Jamais um cara como esse vai se sentar, refletir e chegar à conclusão de que deveria ter feio um curso de tornearia mecânica no Senai para o caso de a carreira na TV dar errado.

Porque, afinal, um cara como esse é irresistível e lindo. Como poderia dar errado, não é mesmo?

A questão é que ninguém odeia de fato essas pessoas. Eles são tão irrelevantes para qualquer debate, que geralmente são apenas ignoradas mesmo. Mas servem pelo menos de exemplo sobre quem consegue ou não lidar com a mediocridade. Tem quem aceite tranquilamente a possibilidade de não estar acima da média. Mas alguns vão sofrer com isso para sempre, como Frias, que está nesse momento ameaçando chamar a Polícia Federal para intervir sobre quem critica a atuação dele em um comercial. E eu achando que era em Cuba que não se poderia ter humor senso crítico. Que surpresa. Mario Frias, como outros atores descartados, vive a nostalgia e deslumbre eternos do artista adolescente que poderia alcançar protagonismo nas novelas da Globo. E se apega a quem pode lhe dar voz: Bolsonaro. E mira sempre nas soluções erradas para reconquistar espaço.

O problema não é a falta de um bom curso de atuação para ele voltar às novelas. Não, o problema é o Miguel Falabella e o Bruno Gagliasso pegarem grana da Rouanet. O inferno são sempre os outros.

Essa frustração dele só piora quando percebe que tinha todos os atributos (ou seja, ser loiro) pra ser carregado pelo público mesmo sem ter talento, mas nem assim emplacou. O que é realmente muito grave, porque até o Caio Castro conseguiu isso, parecendo o Monicão.

O pior sentimento que pode haver é o ressentimento. Se você fracassou, coisa a que todos nós estamos sujeitos, continue, viva do jeito que der, faça outra coisa.

Aquele povo que bota o adesivo "Sua inveja é a força do meu sucesso" no vidro traseiro do Golf com pintura queimada é o Mario Frias no futuro. O SUS tem que oferecer tratamento psicológico pra essa galera. E já passou da hora, porque a exploração do ressentimento como força destruidora é tema de livros de Dostoievski e Nietzsche. Veja se esse trecho de Ecce Homo não é puro Mario Frias: "O ressentimento a ninguém é mais prejudicial que ao próprio ressentido" (Nietzsche, Ecce Homo, §6).

Em sua incapacidade de agir, o ressentido tende a se tornar cada vez mais doente e incapaz, cada vez mais extenuado e incapacitado. Em sua busca por afirmação, recorre a táticas desesperadas: confundindo-a com o alívio de energias represadas, tomando excêntricas atitudes que descarregam de uma vez toda sua força, mas que o tornam, por fim, ainda mais frágil frente aos estímulos externos.

O protagonista de Memórias do Subsolo também sem dúvida é uma encarnação literária do tipo "ressentido", e Dostoiévski, por sua agudeza psicológica, é capaz de até mesmo descrever as reações psicossomáticas que a erupção do ressentimento causa nessa pessoa atormentada, incapaz de dar vazão aos seus ímpetos rancorosos e vingativos. O protagonista da obra chega a confessar que se ofender com facilidade, circunstância que evidencia a sua fragilidade psíquica e dificuldade existencial de lidar com as situações ásperas do cotidiano.

Parece ou não o ex-Malhação?

Dom Bertrand: segundo na linha sucessória de nada

Trineto do imperador Dom Pedro II, o príncipe imperial do Brasil, Dom Bertrand de Orleans e Bragança, disse na terça-feira (16/6) que não existem diferenças raciais no país. Segundo ele, "enquanto certos países têm um problema racial muito violento, aqui nós não temos". Ele poderia falar isso lá na casa dele para outros malucos que o seguem, mas o problema é que isso foi dito em um evento realizado pelo Ministério das Alucinações Exteriores.

Ou seja: apesar de discordar sobre o espaço dado para o Bertrand, foi o local certo para o príncipe de lugar nenhum, segundo na linha de sucessão de absolutamente nada, gerar um combo de delírios, que eu já não sei se é apenas fruto da demência senil ou de uma desconexão completa com a realidade. Na dúvida, acho que são as duas coisas.

Segundo Bertrand, "estão procurando criar esse problema racial, mas não conseguem. Aqui, todos nós damos bem. Aqui no Brasil, todos nós vivemos bem", afirmou o descendente da família real na mesma semana em que um jovem foi espancado no Jaçanã, em São Paulo, e outro pode ter sido morto pela PM na zona sul. Eles serem negros de tão pobres ou pobres de tão pretos é mero detalhe.

Tem que fazer todo mundo acreditar que os brasileiros se amam e não são um cidadão do tipo que pensa em jogar NaPalm na favela enquanto confraterniza ao som sertanejo sofrência e MPB barzinho. Sejamos pró-genocídio, sim, mas sempre com muita positividade e um sorriso no rosto.

Nesse seminário promovido pelo Palácio do Itamaraty, intitulado "O Brasil na conjuntura internacional do pós-coronavírus", o príncipe falou por pouco mais de duas horas e em determinado momento do evento, quando provavelmente todo mundo já havia dormido ou morrido de tédio, comentou que o Brasil tem muitos pontos positivos, por ser composto por pessoas de diferentes etnias.

"Todo brasileiro tem um pouco de sangue branco, um pouco de sangue negro e um pouco de sangue índio. Isso deu um *blend* (mistura) absolutamente extraordinário, porque nós temos o povo brasileiro que é um povo fabuloso. É um povo que tem um calor humano que nenhum outro povo tem isso". Primeiro que é mentira que no Brasil não tem branco, não tem negro e não tem índio e que todo mundo é misturado. Segundo que o cara usa o termo *blend* para se referir à mistura racial. Um termo que geralmente é usado para se referir àqueles produtos que os tupinivickings usam para fazer crescer barba.

Isso sem falar no calor humano do Brasileiro, né? Um povo que, no meio de uma pandemia, está fazendo dancinha da morte na Paulista e se reunindo para ver live do Gusttavo Lima, enquanto compartilha o nargas, é realmente muito caloroso. Realmente nenhum outro povo tem isso mesmo. Sorte deles, aliás.

Segundo Dom Bertrand de Orleans e Bragança, os brasileiros têm "a fé e o espírito empreendedor do português", "a intuição do índio" e "a força, a bondade, o calor humano e a lealdade da raça negra".

Foi melhor que o Mourão, pelo menos. Para quem já esqueceu, o vice-presidente falou que herdamos a malandragem do negro e inocência do índio. O Bertrand ao menos disfarça melhor. O espírito empreendedor do português para construir cortiço e padaria é muito conhecido em SP. A intuição do índio eu não conheço, mas a lealdade e bondade da raça negra parece até alívio do cara: obrigado por não terem enchido a gente de porrada nesses anos todos.

"O jeitinho brasileiro vem do índio. Nós temos outras qualidades dos índios, como a nossa sacrossanta mania de tomar banho todo dia". Aqui ele reconhece que a família real e os europeus tinham péssimos hábitos de higiene antes de conhecer os índios. Podiam aprender com eles uma outra coisa também: como parar de transar entre primos para evitar endocruzamento na família real.

Ao falar sobre a crise sanitária da covid-19, o príncipe disse que "o grande culpado por essa pandemia é a China". "Que o vírus foi criado ou não criado, eu tenho minhas opiniões a respeito, mas não quero levantar a questão". Dessa maneira, ele já levantou a questão e deixa no ar que tem opiniões sobre algo que ele nem entende, já que não entendeu até agora que não existe império no Brasil e, logo, ele não é príncipe. Certamente deve ter lido muito o grupo de zap do Carluxo, em que o Bernardo Kuster explica como foi a criação do vírus em laboratório.

Por mais que àquela altura o país já fosse o segundo no ranking mundial de mortos e de infectados, o príncipe comparou os índices de sete nações europeias juntas para dizer que o Brasil estava lidando melhor com a covid-19 e que este é "um país privilegiado".

"Há dados muito interessantes da pandemia que não são publicados como deveriam. Num balanço de 102 dias da pandemia, os países europeus França, Itália, Espanha, Bélgica, Portugal, Suíça e Áustria, com população de 211.728.578 habitantes, tiveram 820.436 casos confirmados, 319.656 recuperados e 103 mil óbitos. O Brasil, com uma população ligeiramente maior, de 212.463.372, teve 710.887 casos confirmados, 302.084 recuperados e 37.312 mortos. O Brasil é um país privilegiado. Nós sempre dissemos que Deus é brasileiro. Nós temos que confiar na bondade de Deus, nosso senhor", analisou.

Se Deus é Brasileiro, ele deve ser tipo eu hoje em dia e odiar o país nesse momento. Mas o melhor de tudo é o cara ignorar a baixa testagem e esquecer que por aqui ainda nem estamos em curva descendente. Calma, Bertrand, vai piorar muito antes de melhorar. Não se precipite.

Sergio Camaro: o sonho racista do bolsolavismo

Sergio Camargo, presidente da Fundação Cultural Palmares, chamou o movimento negro de escória maldita.

Isso acontece na mesma semana em que tivemos William Waack comentando sobre racismo, Guilherme de Pádua participando de manifestações pró-Bolsonaro em Brasília e Allan dos Santos, o Bjorn Borgh brasileiro, tomando um copinho de leite para fazer alusão ao nazismo. Isso é mais um fruto da dismorfia racial do brasileiro. Alvo de um racismo estrutural que cria uma hierarquia definida pelo privilégio social histórico e os matizes das cores da pele, o Brasil tem um sério problema de aceitação de si mesmo, do tipo que levaria qualquer ser humano a sessões de análises constantes e profundas.

Discípulo do escritor Olavo de Carvalho, guru do bolsonarismo, Camargo se apresenta no Twitter como um "negro de direita, antivitimista, inimigo do politicamente correto, livre". Já é ruim o suficiente, mas ainda piora quando descubro que, assim como eu, ele é jornalista de formação. Mais flerte com o fracasso holístico, impossível.

Sergio é até pior que Helio Negão, o mionzinho do Jair. Este prefere ficar calado enquanto é um fantasma na câmara e ninguém sabe ao certo o que pensa. Na única vez em que falou, declarou que suas sobrinhas, que estudam, votam no PSOL, num ato falho que já entrou para a história. Oportunista? Sim. Mas de olavista ele não pode ser acusado.

Já o Sérgio Camargo tem esse grande defeito, que acaba gerando os piores bolsonaristas do governo, piores que os liberais e piores que os do centrão, para você ter uma ideia de quão grave é ser acometido por essa nova doença brasileira, que já deve ter feito tantas vítimas quanto o covid-19.

Segundo o camarada Ale Santos, Sérgio Camargo é a face racista do Bolsonaro, é a "pessoa de cor" que ele pode usar pra dizer "como pode ser racista se é preto?". Ele é a boca que expressa os pensamentos que o presidente gostaria de dizer. Qualquer pessoa que reproduza esses pensamentos do século 20 são racistas, inclusive negros como Sérgio Camargo.

E é por isso mesmo que dificilmente ele será demitido do cargo que ocupa inegavelmente de forma equivocada. Esse radicalismo que tende a destruir a pasta em que a pessoa está é exatamente o objetivo do governo. Isso explica, por exemplo, porque gente como Regina Duarte e Mandetta foram destituídos do governo. Embora nada elogiáveis, os dois não têm essa sanha destruidora olavete que pulsa na ala ideológica e nem a sanha golpista conservadora que pulsa na ala militar. Ou seja: não servem.

Além de já ter considerado a escravidão como "benéfica para os descendentes", Camargo sempre negou a existência do racismo no Brasil e chamou as cotas raciais de "um absurdo". Em mais de uma ocasião, o presidente da Fundação Palmares descreveu o Dia da Consciência Negra, celebrado em 20 de novembro, como sendo uma data da qual a esquerda se apropriou para propagar vitimismo e ressentimento racial.

A fila de absurdos é imensa e daria para eu passar o dia todo elencando-as aqui. Mas a discussão é mais profunda. O problema é que o ódio que o brasileiro sente de si mesmo produz não só um Sergio Camargo, mas, por exemplo, criaturas como o empresário de Araçatuba que criou uma loja de venda de artigos de caubói com bandeira confederada. Chamou-a de Redneck Store e diz que preza pela brutalidade de Araçatexas. O mesmo cara que foi preso no centro da cidade atirando em antifascistas nesta semana.

É essa a dismorfia que faz com que integrantes de motoclubes sejam tiozões odontologistas aqui no Brasil e lá fora sejam exatamente o que eles abominariam no Brasil: uma gangue de motociclistas especializada em fazer pequenas fitas e tráfico. Ah, mas eles parecem aquele gato do Charlie Hunnan e andam de Harley, ao contrário do Nego do Borel que anda de teneré, né? Então beleza.

E mais recentemente, essa dismorfia faz muita gente achar que é legal ser parecido com o viking e o Thomy Shelby do Peaky Blinders, mesmo tendo nascido em Piracicaba e sem levar em conta que a gangue do lampião seria uma versão viking nossa e o tal de Thommy não tem lá muita diferença do Marcola, só usa uns ternos mais legais.

Perceba: a negação do nosso povo, da nossa história, das nossas lutas é generalizada, e um dia nós mesmos já caímos nesse erro. Claro que quando um negro retinto fala coisas do tipo soa mais agressivo. Mas não nos esqueçamos que o Brasil perde cada vez mais as referências históricas de qualquer luta que tivemos. E, bom, se formos comparar como ficamos tristes quando morria gente demais na Itália por Coronga e como hoje nem ligamos para as mortes daqui, dá para se ter uma ideia de como domesticamente a gente se odeia.

Toda essa negação do brasileiro à própria cultura, até por negros que não acham racismo tão grave porque já chegaram lá, tipo Pelé e Neymar, faz da gente um dos povos que menos se aceita e que mais normaliza absurdos, coisas do tipo bandeira confederada em loja e diretor da Fundação

Zumbi que chama zumbi de lixo.

Spike Lee, Racionais e o caso George Floyd

A morte de George Floyd em Mineapollis é mais uma tragédia racial típica americana que também poderia ter acontecido no Brasil.

Claro que, por aqui, a reação infelizmente seria bem diferente. Afinal, se com crianças como Agata e João Pedro o máximo que conseguimos emitir é uma nota de repúdio nas redes sociais, com um adulto a gente simplesmente aceitaria e pensaria: Bom, mais um, né, triste, fazer o quê? Vida que segue.

Uma triste realidade do nosso país é que nós estamos acostumados à morte. A TV, as capas dos jornais, a realidade de nossas famílias, nos fazem nos habituar com o fato de que cedo ou tarde isso vai acontecer conosco também. E é por isso, talvez, que a pandemia foi tão facilmente naturalizada por aqui: É, faz parte da vida. Todo mundo vai morrer mesmo. Acontece.

Esse traço de comodismo e aceitação do nosso cruel destino é um dos perfis comportamentais mais tristes do brasileiro, em qualquer espectro social ou ideológico. Como diria o Racionais:

O ser humano é descartável no Brasil, como modess usado ou bombril. E isso precisa ser superado antes. E vamos te mostrar em filmes e músicas como isso é estrutura, seja lá ou aqui.

Black Lives Matter e Faça a Coisa Certa

Desde que a violência policial vitimou, em 2014, dois afro-americanos, Michael Brown, em Ferguson, e Eric Garner, na cidade de Nova York, ativistas pelos direitos civis dos negros começaram a questionar questões mais amplas de discriminação racial, brutalidade policial e desigualdade racial no sistema de justiça criminal dos Estados Unidos.

Mas, Irônica e tristemente, a vida imitou a arte nesse caso. Não é que este seja um problema recente nos Estados Unidos. Não é. Em 1989, Spike Lee lançava Faça a Coisa Certa, filme que retrata um dia calorento e insuportável no Brooklyn, bairro repleto de negros em Nova York.

Por lá, as tensões raciais entre italianos, coreanos, latinos, judeus e negros estão sempre a uma fagulha de explodir em violência e porradaria generalizada.

Como, ao contrário do Brasil, nos EUA as pessoas fingem menos que se adoram, fica difícil esconder a dificuldade que existe na convivência entre diferentes etnias. No fim de Faça a Coisa Certa (e aqui tem spoiler para quem ainda não viu o filme), toda a tensão gerada na vizinhança termina num crime policial muito parecido com o do George Floyd, e o resultado entre os moradores também guarda semelhanças. Ou seja: Spike Lee, que já falou que negros têm sido caçados como animais, previu o que aconteceria três décadas depois, com uma exatidão assustadora.

Will Smith e Chris Rock

Chris Rock sempre denunciou o racismo estrutural e policial. Apesar de ter uma forma irônica de falar sobre isso, ele deixa claro que, mesmo sendo milionário e famoso, só não é alvo dele quando é reconhecido pelo agente de segurança pública. Enquanto não é, continua a ser apenas mais um negro suspeito. E isso também lembra o próprio filme do Spike Lee, no momento em que o racista ítalo-americano, filho do dono da pizzaria, Pino, diz que Prince, Eddie Murphy e Magic Johnson são mais do que negros, que excedem isso, e é aí que reside a admiração por eles. As duas coisas estão ligadas: se você for negro, famoso e rico, aí talvez alguns racistas até te aceitem.

  E Will Smith acrescenta um molho nessa discussão com uma frase dita em 2016, depois das mortes que aconteceram dois anos antes. Para ele, que junto com Quincy Jones criticou o racismo estrutural e como vários negros viram brancos de pele escura quando têm grana, em Um Maluco no Pedaço, falou uma frase que resume bem toda essa treta: O racismo não está piorando, ele está sendo filmado.

É mais ou menos o que estamos vendo no Brasil nesse momento, mas em relação ao fascismo da população: sempre existiu, só não existia rede social para o externar e nem o presidente para o representar.

***

Outro filme de Spike Lee mostra que o racismo nos Estados Unidos sempre existiu e é até organizado. Em Infiltrado na Klan, ele mostra a história real de um policial negro que ajudou a desmontar uma célula da Ku Klux Klan em Colorado Springs.

Inspirado no livro homônimo e biográfico de Ron Stallworth, Infiltrado na Klan retrata a absurda e surreal história de Ron Stallworth (John David Washington), primeiro policial negro da cidade.

A ideia de um grupo de pessoas de acreditar na supremacia de uma raça e pregar o ódio e extermínio a todas as outras é tão absurda que algumas situações de Infiltrado na Klan acabam ganhando contornos cômicos. Afinal, a crença na superioridade branca beira o absurdo, já que vemos no filme e mesmo nas manifestações públicas que de superior essa galera não tem nada.

Geralmente, trata-se de gente caricata, ressentida e, no caso dos Estados Unidos, muitas vezes de frutos de relação endogâmica, o que pode gerar deficiências diversas, como curtir Ted Nugent por lá e Matanza aqui.

A alternativa de tratar o tema de forma cômica, no entanto, é só uma forma de mostrar o quão ridículos racistas são. Não é uma forma de diluir um assunto tão sério.

E, no fim das contas, nós vemos por aqui que podemos não ter uma KKK, mas basta ver como certas pessoas, que nem brancas são, agem quando tocamos em assuntos como cotas, morte de Marielle e representatividade para entender que não só a ridiculice é a mesma, como que ser cópia do pior dos EUA é uma doença brasileira.

***

Olhos que Condenam, série de Ava Duvernay que está na Netflix, é mais pesada e conta a história dos cinco jovens que foram condenados pela morte de uma mulher no central park. Eles ficaram mais de vinte anos presos por um crime que não cometeram, mas acabaram levando a culpa, vocês sabem por qual motivo.

O caso escandaloso e de pré-julgamento racial escancara o racismo de Trump, que na época pagou anúncios em jornais de grande circulação para reforçar que os jovens eram culpados e que eles deveriam ser presos por isso.

E você pensa que o atual presidente americano mudou quando a Justiça descobriu que eles não tinham culpa? Não. Continuou a dizer que acreditava que eles não deveriam ser soltos. Nada de surpreendente para um cara que falou que em Minneapolis os manifestantes deveriam ser alvejados.

***

E não tem como falar disso tudo sem lembrar que, por aqui, os Racionais sempre foram o principal porta voz de como as vidas negras e pobres são subestimadas em nosso país.

Quando eles gravaram capítulo 4, Versículo 3, denunciaram uma série de dados negativos sobre violência e exclusão contra a população negra. Em participação especial, o também rapper Primo Preto recita: "60% dos jovens de periferia sem antecedentes criminais já sofreram violência policial / A cada quatro pessoas mortas pela polícia, três são negras / Nas universidades brasileiras, apenas 2% dos alunos são negros / A cada quatro horas um jovem negro morre violentamente em São Paulo".

Em Capítulo 4, Versículo 3, os Racionais dizem que, nos anos 1990, a população negra era a maior vítima da letalidade policial. Segundo a letra, três em cada quatro mortos pelas forças de segurança eram negros.

O índice permanece o mesmo 22 anos depois do lançamento da música.

Recentemente, o Fórum Brasileiro de Segurança Pública analisou 4.254 registros de boletins de ocorrência de mortes decorrentes de intervenções policiais entre 2015 e 2016, o que representa 78% do universo dos casos no período.

Na letra, o rapper Primo Preto diz que "nas universidades brasileiras apenas 2% dos alunos são negros".

Segundo o IBGE, em 2018, 50,3% dos estudantes universitários eram negros - isso representa 1,14 milhão de pessoas. Os brancos são 48,2% da massa de alunos. Essa foi a primeira vez na história em que pretos e pardos ultrapassaram os brancos nas universidades.

O percentual de negros com nível superior quase dobrou entre 2005 e 2015, fruto da política de cotas implantadas em universidades públicas e programas de bolsas e financiamentos para estudantes pobres, como Prouni e FIES.

Em 2005, 5,5% dos jovens pretos ou pardos em idade universitária frequentavam uma faculdade. Dez anos depois, eram 12,8%. Apesar desse avanço, o número está muito aquém do da população branca, que subiu de 17,8% para 26,5% no mesmo período.

Ou seja: tivemos avanço no acesso às universidades, mas nem quase quatro mandatos de governos de esquerda foi o suficiente para resolver o principal pilar do racismo e violência contra os negros.

Como Felipe Neto se transformou em aliado contra o bolsonarismo

Felipe Neto foi o convidado do Roda viva na última segunda-feira, 18, num programa que teve uma bancada de entrevistadores inusitada, com as presenças de Rachel Scheherazde, Edgard Piccoli e Mariliz Pereira Jorge, aquela jornalista que acha tudo bem chamar uma deputada de vagabunda. No comando, claro, a queridíssima e aclamada Vera Magalhães.

Quem conhece o nosso canal desde a fundação, sabe que não somos o veículo que mais tem simpatia pelo youtuber. Não foi por uma questão de inveja, se bem que não seria nada mal ter 39 milhões de seguidores, mesmo que fosse para dividir nosso espaço com um irmão que nada em banheira de Nutella. Pagaríamos esse preço.

Foi mais uma questão de discordância generalizada. E, se já fomos criticados por não elogiar e nem passar a mão na cabeça dele no passado, também significa que fomos parte dos detratores que o ajudaram a mudar para melhor. Pode mandar o agradecimento depois, Felipe. De preferência, em dólar.

No próprio programa do Roda Viva, Felipe reconhece isso. Num exercício de autocrítica que nenhum veículo de imprensa é capaz de fazer – mas que costuma exigir do PT –, ele falou que percebeu os erros cometidos antes e adotou um processo de mudança pessoal, por isso o posicionamento político e comportamental atual. Ótimo. Imagina se o Estadão fizesse o mesmo para se desculpar da publicação do editorial "Uma Escolha Muito Difícil"? Tá, já estou querendo demais.

Mas Felipe está longe de ser inocente. Essa mudança dele também é marketing replacement, o famoso reposicionamento de marca. Nenhum problema aí. O Lobão fez o mesmo ao longo dos anos e acabou parando no colo do capeta, digo, do Bolsonaro. E se tem uma coisa que não vou julgar é uma reinvenção numa direção menos equivocada para a vida.

Mas o que tem de tão interessante aí? Tem algo que não é desprezível num país como o nosso, onde se evita o conflito a todo custo e jamais alguém tem a coragem de assumir erros e mudar de forma genuína. Isso é o trunfo do Felipe enquanto pessoa.

Sério. Nós vivemos em uma nação em que a teimosia é traço de personalidade generalizada. Basta você fazer um teste simples.

Chegue para o seu tio minion e pergunte se ele acha que a situação melhorou depois que a Dilma saiu. Ou fale com seu parente que é negacionista científico e veja se ele consegue explicar porque não acredita no coronavírus. Dificilmente você vai ouvir as seguintes respostas: É, eu errei. Ou um simples "não sei".

E Felipe mostrou que consegue agir assim. O que para ele não tem nada mesmo de vantajoso. Veja: o conteúdo dele, embora bem feito, é o suprassumo do comportamento *normie*. Piadola, minecraft, video cassetada.

Ele fala com o tipo de povo que reproduz o senso comum e os preconceitos brasileiros no cotidiano. Basicamente, é aquela parcela de povo que apoiou o Bozo não por fascismo convicto, mas por ser analfabeta política. Coisa que o Felipe reconhece que também era até bem pouco tempo atrás. E, mudando, ele correu riscos, porque ao assumir o conflito, tem mais a perder do que a ganhar.

E ele vai além: se desculpa pelo antipetismo convicto e pelo apoio ao golpe da Dilma. Golpe esse que, segundo Pedro Dória, sequer existiu, o que mostraria que, ao usar esse termo, Felipe assume posicionamento partidário.

Ora, Pedro Dória, e fingir que foi um processo de impeachment legítimo mesmo depois do Temer assumir que foi golpe é o que? Também é posicionamento político. E pior: postura servil ao patrão, que sempre vai te pagar para apoiar o PSDB. Isso na melhor das hipóteses, vale frisar.

Outra coisa que Felipe ressalta é que o governo Bolsonaro não pode ser colocado em pé de igualdade com qualquer projeto já experimentado de direita e esquerda por aqui.

Trata-se de uma anomalia política que precisa ser combatida por todo mundo. Concordo. E por isso não vejo problema em elogiar o cara agora, encontrar vantagens em Anitta promover o debate político ou ter uma Gabriela Prioli como vetor didático do assunto.

Juntos, todos eles têm mais impacto que a bancada de oposição na câmara. A influência que essa conscientização pode trazer a longo prazo deve ser bem vantajosa. O Felipe sabe, melhor que qualquer político do PT, PSOL, PCdoB e PDT, que a direita ganhou a disputa não só nas urnas, mas também nas redes sociais. Se não houver contra-ataque, é melhor assumir que o Jair vai fazer sucessor até que a Fraquejada assuma, em 2060.

E, como lembrou Jones Manoel em nossa live, podemos lutar juntos contra um mal comum e, depois, marchar separado. Isso é estratégia política. Até Stalin, Churchill e Roosevelt se uniram quando o inimigo comum era Hitler. Não vamos esquecer dessa linda história que tem passagens fofas, como aquela em que soldados congelam em Stalingrado.

Hoje estamos diante de um projeto de negacionismo e revisionismo cujo único objetivo é destruir todos os freios e contrapesos da constituição e demolir as instituições. O youtuber relembra que nasceu no fim da década de 80 e aquela geração cresceu avessa ao autoritarismo da ditadura. Hoje, há pessoas mais jovens que ignoram o regime e até são fãs de Ustra. E a gente reclamava quando a molecada era fã do err... Felipe Neto.

Collor e Roberto Jefferson se reinventam em meio à crise

Quem é morto, sempre aparece. E nas últimas semanas, dois cadáveres insepultos da política brasileira reapareceram: Fernando Collor e Roberto Jefferson.

O primeiro repaginado numa versão Collor twitteiro irônico, que nem mesmo os grandes criadores de meme ousariam inventar, pois a figura do político é indigesta por motivos conhecidos.

O segundo, tal qual fênix da bariátrica, se reinventa mais uma vez. Após ser figura popular da TV e a estrela do mensalão, agora ele se alia ao bolsonarismo pedindo execução de esquerdistas e posando com armas de fogo na mão, mesmo que o coice de um tiro jogue esse tiozão para trás com força suficiente para fazê-lo andar numa cadeira de rodas para sempre.

Político fazendo gracinha em rede social tem objetivos bastante claros: humanizar figuras ou partidos cujos métodos tradicionais já não funcionam mais.

Essa é a famosa reinvenção, reposicionamento de marca. Não são apenas empresas que erram ou que até há pouco tempo usavam mão de obra escrava que fazem isso.

Celebridades, empresários e até políticos se aproveitam e muito bem da tática. Tática esta que, mesmo que cause indignação, também gera engajamento. Veja bem: se você compartilhar algo do Collor para criticá-lo, não faz algo bom. Porque nos números das redes sociais o que importa é que falem de você, bem ou mal.

Um exemplo disso foi quando o PSDB, depois de amargar 4% de votos nas eleições de 2018 e se transformar em algo mais obsoleto do que um pager, resolveu fazer gracinhas na web para ver se recuperava um pouco do espaço em ambiente digital, com vídeos mais constrangedores que os clipes da banda Malta.

O resultado foi um aumento de 900% no engajamento do perfil, que até então vivia às moscas.

Existe o método. E quem está utilizando a mesma estratégia é Fernando Collor.

A imagem do presidente que congelou a poupança dá lugar à imagem do tiozão divertido do twitter, o político que manja dos memes, que usa gif e brinca com todo mundo.

Sabe quem estava fazendo isso até bem pouco tempo atrás?

Eike Batista, que respondia a todo mundo e se mostrava acessível, fingindo que o Brasil todo já havia esquecido que várias revistas o venderam como o maior empresário da nossa história e que ele foi corno do bombeiro Albucacys. Não, não esquecemos. E nem esquecemos também da coleira da Luma.

Mas deveríamos. Porque o importante nesse caso seria que Collor e Eike nunca mais pudessem se reinventar. Nós somos a favor sim de ressocialização. Mas geralmente, isso seria aplicado àqueles que nem tiveram a primeira chance, que dirá a segunda. Collor e Eike tiveram todas as chances possíveis e terão muitas outras, porque todo mundo fica emocionado com isso.

Veja bem, quando o Eike foi solto, ele até mesmo começou a ser um abolicionista penal, dizendo que cadeia não resolve e que passar 90 dias enjaulado era um aprendizado para os privilegiados.

E, claro, aproveitou o espaço que ganhou para dizer também que investiria em dez startups unicórnio, porque dinheiro é bom sim, se essa é a pergunta.

Já Jefferson se reinventa como um político capaz de costurar acordos do Bolsonaro com o centrão e exigir cargos para o PTB no governo, num dos ressurgimentos mais improváveis de que se tem notícia. E acredite: enquanto ele for útil, será exaltado como novo mito pelos minions. E pode ter certeza que fotinho com Olavo, retuitar Allan dos Santos e apoiar uso de cloroquina estará dentro dessa reinvenção.

Mas quem vê esses ressurgimentos e reconstruções com estranheza, já esqueceu que o próprio Maluf agiu como Zé Graça no Twitter enquanto ainda era vivo.

Leonel Brizola, além das suas participações acaloradas em debates, emplacou o apelido de "Gato Angorá", por caçoar do oportunismo político de Wellington Moreira Franco; Antônio Carlos Magalhães já perdeu calculadamente o decoro em plenário, chamando o então deputado federal Michel Temer de "mordomo de filme de terror"; na nossa história, sobra espaço até para performances mais teatrais, como quando Jânio Quadros desinfetou a cadeira de prefeito após ser eleito para o cargo em São Paulo, em 1986 — semanas antes, Fernando Henrique Cardoso havia tirado uma foto sentado ali, em clima de "já ganhou". Tudo isso faz parte do lacre que mantém as figuras políticas em alta e na nossa lembrança pela eternidade.

Isso também revela uma coisa: no Brasil, não importa o quanto se roube. Se você for um político de direta, sempre haverá espaço para se reinventar, mesmo que tenha saqueado poupanças e levado algumas pessoas ao suicídio e à falência.

Pescadores venezuelanos promovem Bacurau da vida real

Eu sei que muitos de vocês viram Bacurau e ficaram cogitando sobre como seria bom ter uma esquerda que estivesse menos preocupada em discutir o chinelo da Manu Gavassi ou as tranças da Anitta e fosse fazer um carinho com peixeira no Véio da Havan. E que o filme só serviu para esquerdomacho levar 11 namoradas diferentes ao cinema.

Mas na Venezuela, já tivemos habitantes colocando em prática algo muito próximo do filme de Kleber Mendonça Filho. Nesta semana, pescadores de Chuao deram um coro e ajudaram a prender mercenários norte-americanos que teriam sido contratados por Juan Guaidó, aquele maluco da aldeia que finge ser presidente do país, para impor um golpe de estado por meio da Operação Gedeón.

Segundo o anúncio de Maduro na segunda-feira, 4, pelo menos três americanos fizeram parte de um grupo de "mercenários terroristas" que tentaram entrar na Venezuela no domingo, 3, valendo-se de lanchas vindas da vizinha Colômbia.

O presidente apresentou em um pronunciamento oficial no Palácio de Miraflores, residência do chefe de Estado, passaportes, dentre outros documentos, de dois cidadãos americanos, Luke Denman e Airan Berry, que foram detidos por envolvimento no episódio.

O engraçado de tudo isso é que a história não emula só o bacurau. Tem muitas obras de arte que inspiram essa história. E essa história também inspira obras de arte. Ou vai dizer que você não enxerga uma obra de arte em uma foto que reúne um barbudinho estilo broderagem da machonaria amarrado bem na frente da Casa de Pescados Socialista?

Aliás, esse sujeito, especificamente, tem muito a ver com o Galãs. Metido a macho alfa, com carinha de mal, e que não aguenta cinco minutos de porrada com um pescador que tem o físico do Neymar.

Fora que, no cinema, os Estados Unidos venderam a versão de que mercenários seriam caras destemidos e incapturáveis como Sylvester Stallone, Schwarzenegger e Vin Diesel. Quando na realidade, os caras são apenas humilhados de todas as formas quando tentam invadir um pequeno país da américa latina.

Mas a história é ainda melhor. Isso porque um deles é funcionário da Agência de Combate às Drogas dos Estados Unidos (DEA, pela sigla em inglês).

No mesmo grupo estavam cinco ex-militares venezuelanos, entre eles o capitão Antonio Sequea, comandante da operação, que participou da tentativa de golpe no dia 30 de abril do ano passado, ao lado de Juan Guaidó e do líder político Leopoldo López. Se falharem em mais um golpe, já podem pedir música no Fantástico. E os dois norte-americanos, identificados como Luke Denman e Aaron Barry, ex-militares integrantes das

Forças de Operações Especiais dos Estados Unidos, estavam no mesmo barco e foram detidos.

Os estrangeiros trabalham para a empresa de segurança privada Silvercorp USA, de propriedade de Jordan Goudreau, também ex-militar dos EUA, que operou em países como Iraque e Afeganistão.

Segundo Adolfo Baduel, os dois norte-americanos presos fazem parte da equipe de segurança do presidente dos Estados Unidos, Donald Trump. "Eles são intermediários, são chefes de segurança do presidente dos Estados Unidos. Eles dizem que trabalham com a assessoria de segurança do presidente Donald Trump", disse ao ser preso, em declaração às autoridades venezuelanas.

No entanto, Jordan Goudreau afirmou que tem 60 homens armados nesse momento, em plena ação para "liberar a Venezuela". O ex-integrante das Forças Especiais dos EUA disse ainda que assinou um contrato com Juan Guaidó para executar planos de intervenções, como a Operação Gedeón, que desencadeariam um golpe de Estado, ao custo de 212 milhões de dólares.

Esses mercenários paramilitares que trabalham para a empresa Silvercorp, dos EUA, também estiveram no Brasil durante as eleições de 2018. Alguns dos paramilitares foram capturados no último dia 4 na Venezuela, ao tentarem sequestrar o presidente Nicolás Maduro e facilitar a implantação de um golpe de Estado.

A informação da presença desses mercenários no Brasil foi revelada pela Jornalista Nathália Urban, que publicou no Twitter imagem comprovando a presença deles pelo menos no primeiro turno das eleições, talvez até na época em que Bolsonaro levou a facada sem sangue em Juiz de Fora, ocorrida em 6 de setembro de 2018. Os agentes postaram que deixaram o Brasil em 18 de outubro, onze dias após o primeiro turno. O que fizeram aqui não é muito claro e pode até não ser nada demais. Porém, numa eleição cheia de suspeitas e com a presença de uma corporação conhecida por golpes de estado, há que perguntar pro Haddad se ele não andou recebendo visitinhas inesperadas na casa dele do Planalto Paulista. Pro azar do petista, por lá não tinha pescador nenhum para intervir.

O plano secreto do Olavo para tomada do poder

Fala, seus mal diagramados! Nas últimas semanas vimos surgir o movimento 300 pelo Brasil, que mostra intenção de fazer uma revolução liderada pela Sara Winter. Sim, podemos perder o país para uma mina que, em outras épocas, só seria motivo de notícia no finado site Ego.

Eu sei que, quando vemos os envolvidos no projeto e os vídeos gerados sobre tudo que está ao redor, a coisa parece até uma esquete do Borat, mas a verdade é que o assunto não é nem novo e nem tão inocente e engraçado assim.

Como quase tudo de mais lunático que ronda esse governo, o assunto já é citado por Olavo de Carvalho há muitos tempo. Pelo menos há uns cinco anos existem registros sobre esse projeto de revolução popular.

O filósofo e astrólogo da Virgínia, tabagista e conspirador profissional, afirmava em 2015 que a desobediência civil sistemática, com administração popular, resultaria numa revolução pacífica – e que aquele era o momento para realizar esse projeto.

Infelizmente pro Olavo, quem tocava o projeto era Kim Kataguiri, Mamãe Falei e Fernando Holiday, que acharam mais conveniente mamar na teta do governo integrando o DEM.

Naquele momento, ele apregoava que as etapas de ação do povo desarmado para atingir o objetivo eram quatro:
– Passeatas de protesto;
– Panelaços;
– Desobediência civil generalizada;
– Greve geral.

Olavo foi contra a maneira com que o MBL conduziu o impeachment da Dilma em 2016, pois ele estaria se rendendo ao "sistema" (que ele chama de Estamento Burocrático): Pra ele, em 2015 seria possível uma REVOLUÇÃO BRASILEIRA de direita, mas o Impeachment acabou impedindo-a. Era o tempo do papo de eleição fraudada, urnas eletrônicas venezuelanas, PT e PSDB aliados, blá blá blá.

Também em 2015, a futura deputada federal foi de mala, pixuleco e cuia para a Virgínia, onde entrevista o Olavo e eles voltam a bater nessa tecla. Bia é uma das deputadas mais próximas e puxa saco do presidente, além de estar bem próxima da organização dos 300 do Brasil.

Olavo parece que previu o que estava por vir. Ao ver um povo se apressar no projeto dele, alegou que estava errado e que essa é uma lição que deveríamos aprender com a velha esquerda (não a nova). Esquerdistas sempre debateram as estratégias por anos a fio, sem pressa de achar soluções mágicas. Foi assim que chegaram ao poder, mas em seguida entraram numa decomposição intelectual deplorável. Ironicamente, a decomposição do Bolsonarismo foi até mais acelerada, porém não posso usar a palavra "intelectual" aqui, já que não existe intelectualidade no governo.

Ele chama de Revolução Brasileira o que está nas ruas. É ela, e não outro personagem qualquer. E veio com mais força do que nunca, brotando da pura espontaneidade popular, quase sem líderes (ou com tantos que se diluem uns aos outros), sem dinheiro, sem respaldo em partidos – o povo contra o "estamento burocrático".

O papo de Revolução volta com Bozo perto do poder. E o alvo era o STF. Quando vocês acham que é por acaso que surgem os protestos contra o STF, não é. Eles têm uma raiz, cujo objetivo é acabar com a fiscalização sobre o presidente.

Só que essa revolução não será tão pacífica assim. O acampamento da Sara, que ninguém sabe onde é, mas que se fosse baile funk já teria sido invadido pela PM com tiros a esmo, tem como base técnicas de treinamento que eles chamam de não violento, mas os posts dos participantes provam o contrário.

Ligue isso com algumas outras coisas: O que é Ucranizar?

Deve ter alguma relação com o Zelensky dissolvendo o parlamento e convocando eleições parlamentares.

A verdade é que eles estão se espelhando nos fachos da Ucrânia e querem radicalizar o discurso da extrema-direita brasileira.

Têm base de apoio para isso? Não nas forças armadas.

Mas o papel das PMs como base do Bolsonarismo não pode ser ignorado.

Há uns 2 anos o curso do Olavo é de graça pra PMs. Como ele sempre anteviu uma guerra civil como única possibilidade de redenção pra um Brasil esquerdizado, teve que buscar alguma forma de educar uma base armada, já que as FFAA não embarcam num golpe, mas facções da PM, nas cidades certas e nas posicões certas fazem um estrago, como vimos em Sobral, naquele motim que acabou com o Cid Gomes baleado. O próprio Ciro reconhece isso e nos alerta.

Junto com tudo isso, ainda temos uma pandemia. A população não vai embarcar nessa de lockdown e as imagens de corpos e caixões já viraram caixões com pedras e serragem.

Não vai ter pilha de corpos, porque a galera acha que é mentira da Globo.

Se o caldo engrossar demais e as manifestações ganharem corpo junto com demissão e convulsão social, surge a possibilidade perfeita para que esses grupelhos paramilitares insanos – e com muita vontade de se revoltar – ponham em prática o projeto do Olavo, mas com bastante violência.

Regina Duarte morreu. Aldir, Moraes e Migliaccio não

Nesta semana tivemos a morte de dois ícones da cultura brasileira: o compositor e escritor Aldir Blanc, que entendeu como poucos a alma do carioca; e Flavio Migliaccio, um dos fundadores do Teatro de Arena, junto com Lima Duarte e Gianfrancesco Guarnieri, em meio à Ditadura Militar.

Em qualquer governo relativamente normal, as duas perdas seriam seriamente lamentadas. Não por obrigação, mas porque as contribuições de ambos são infinitamente maiores do que a de outras pseudo artistas que já receberam a solidariedade de Jair Bolsonaro, como o MC Reaça e Gusttavo Lima, que recebeu o carinho do presidente quando o Conar resolveu multar o sertanejo após ele tomar 32 litros de vodca durante uma live.

O mesmo Gusttavo Lima que já havia dito ter estômago fraco para trocar fralda de criança, mostrou que tem estômago e fígado blindados para outras coisas, como bebidas com 40% de teor alcoólico.

Mas fofocas de subcelebridades à parte, não espanta o silêncio do presidente. Eu jamais esperaria que ele conhecesse ou admirasse nenhum dos mortos que tivemos neste ano, em que também nos deixaram Moraes Moreira e Rubem Fonseca. O nível do Jair, sabemos, é mais alternar disco do Marcelo Rossi com o do Zezé e ver um pouco de Chaves e stand up do Danilo Gentilli, enquanto troca vídeo de decapitação e sexo amador no zap.

Mas Regina Duarte, secretária da cultura, não soltar nenhuma nota de pesar com medo de ser esculachada pelo Carluxo já é um pouco absurdo.

Claro que também não estamos superestimando a rainha da suástica. Sabemos da limitação dela até para decorar um texto, tendo que recorrer a pontos eletrônicos para atuar em novelas. Mas, principalmente no caso de Migliaccio, que dividiu cena em novelas com ela, é até cruel.

Ignorar completamente essas mortes e carreiras não é só rasgar a biografia, que já havia sido destruída por sucessivos apoios políticos desastrosos, como os feitos ao Collor e ao Aécio: é passar atestado de que ela não tem apreço pela própria categoria e pela história. Pior: isso é vender a alma por muito pouco. Mais precisamente R$ 17 mil por mês.

Essas atitudes provam que quem está morta, no fundo, é ela. E agora está morta dentro do governo Bolsonaro, dentro da TV e da vida pública, já que ninguém, nem da direita e nem da esquerda, está muito a fim de ter empatia com ex-integrantes do bolsonarismo, mesmo que por motivos distintos.

Aliás, trocar um salário fixo na Globo por essa posição humilhante na vida pública é incompreensível. E olha que de decisões ruins eu entendo, cheguei a montar uma revista no começo da popularização da internet. Mas essa da Regina é inigualável.

Veja bem: três meses após assumir a secretaria, antes liderada pelo Roberto Alvim, aquele que tentou fazer uma propaganda plagiando Goebbels e foi demitido, Regina também deve ser mandada pro olho da rua.

Não porque cometeu o mesmo erro de assumir em público o que o governo é de fato, porém esconde. Pelo contrário: por ser considerada esquerdista demais para estar ali. Isso significa também que ela, que está na área da cultura, não deve conhecer o Olavo, não deve concordar com o marxismo cultural e não deve desejar a morte de todos os comunistas, apenas daqueles que encherem o saco e tentarem invadir as terras do marido dela. (Opa, não era para contar que você tem marido, né, se não você deixa de receber aquela pensão militar marota.)

Regina é um cadáver moral, apodrecendo mais a cada dia ao lado dessa gente porca e nefasta, que nem a respeita e tenta envergonhá-la desde o primeiro dia, com conspirações de um vereador federal cujo maior feito na vida foi conseguir comprar um primo só pra ele no Ali Express.

E quando for demitida, Regina perceberá o erro que foi apoiar o fascismo. Terá que concordar com o José de Abreu, que alertou a amiga de que entrar nesse projeto era pedir para ser defenestrada pouco tempo depois. E, como profeta do caos, ele acertou. Não porque tenha poderes sobrenaturais. Mas porque basta ver que Jair e sua trupe descartam os amigos muito rapidamente. Ou atiram pelas costas, como disse o saudoso Bebianno, tão íntimo do Jair que conversava só de cueca com ele em camas de hotéis, vale sempre recordar.

Migliaccio, em carta de despedida, resumiu bem o que é o Brasil de Regina: "Me desculpem, mas não deu mais. A velhice neste país é o caos, como tudo aqui. Eu tive a impressão que foram 85 anos jogados fora num país como este. E com esse tipo de gente que acabei encontrando. Cuidem das crianças de hoje!".

Lima Duarte, emocionado, fez vídeo resposta para o amigo e disse que o entende e que aqueles que hoje lavam as mãos para esse governo, o fazem numa bacia cheia de sangue.

A morte pode não ser o fim. Principalmente quando se tem obras como a de Flavio, Aldir, Rubem, Moraes - que, convenhamos, são bem mais importantes que a de Regina.

A morte é você se transformar em uma Regina Duarte em vida.

Reforma Administrativa transforma Bolsonaro em ditador

Depois de deixar de operar na bolsa por meio de seu terminal Bloomberg instalado no Ministério da Economia, Guedes resolveu enfim enviar o texto da reforma administrativa para a câmara.

E como era esperado, a proposta prevê estado mínimo para o andar de baixo e estado máximo para a pequena casta que ganha muito como prestador. Quer mexer em supostos privilégios, mas sem mexer com os privilegiados. Estão felizes, moradores de Águas Claras que fizeram campanha para o Capitão?

Isso nos surpreende? Não. Ainda mais vindo de um governo que vai tentar encontrar, de todas as maneiras, uma forma de garantir as mamatas para os empresários, banqueiros e delinquentes virtuais amigos do Carluxo com algum cabide de emprego.

E o que prevê essa medida, que tem sido tão comemorada em textos vagos pela imprensa, que, assim como na reforma da previdência, nunca chama ninguém contrário à medida para opinar?

O mesmo de sempre: tornar pior a condição de vida e trabalho do baixo e do médio clero e destruir o serviço público. Porque, veja: como ela não atinge magistrados, procuradores, parlamentares e militares, não terá quase nenhum impacto fiscal e a economia que o governo alardeia viria apenas a longuíssimo prazo.

Queremos mostrar também que há várias mentiras sobre ela. A primeira: não atinge atuais servidores. Não é bem assim. A avaliação de desempenho será revista e abrirá margem para perseguição dos servidores.

E não descarte que isso acontecerá mesmo, porque trata-se de um projeto político que prende ex-presidente, mata vereadora e derruba governador que o desafia. Criar avaliações subjetivas para servidores anônimos é a coisa mais simples que existe. Além disso, a reforma prevê que o presidente possa alterar a estrutura do Poder Executivo e até declare extintos alguns órgãos e ministérios, sem a necessidade de aval prévio do Congresso Nacional.

Em tese, com uma canetada, o Bolsonaro extingue o que quiser a partir de E pelo perfil dele, dá para imaginar que qualquer entidade que estiver ligada ao marco civilizatório poderá ser extinta facilmente, como Ibama, Universidade Federal Cheia de Balbúrdia, Funai e outras.

A proposta prevê ainda que o presidente da República poderá extinguir cargos (efetivos ou comissionados), funções e gratificações, reorganizar autarquias e fundações e transformar cargos (quando vagos). Isso nos levará para uma realidade próxima à dos guardiões de Crivella, mas em nível nacional. Sabemos que os parasitas de cargos comissionados já são realidade em quase todas as prefeituras, mas agora isso terá um fator agravante que é a indicação própria do Jair.

O governo Bolsonaro quer, através dessa reforma, legalizar o aparelhamento do Estado, o que, certamente, ampliará os casos de corrupção, já que os "servidores" indicados não terão mais compromisso de serem leais às instituições, como determina o Regime Jurídico dos Servidores, mas sim ao governante de ocasião. É uma troca de funcionário do estado para funcionário do governo. E pelo nível dos bolsominions que se envolvem em polêmicas, a coisa toda não parece muito promissora.

Aliás, nossa história política é recheada de situações nas quais o governante da ocasião ora busca agraciar os seus, ora persegue aqueles que, detendo cargo público, não lhe estão alinhados ideologicamente. E nesse governo isso já rola. Acredite: dentro das instituições, tem quem denuncie amigos que são de esquerda. A perseguição não oficial já começou. Agora só falta ela ser oficializada para os "comunistas" virarem párias na sociedade.

Por outro lado, o que se vê e ouve na imprensa é a mesma ladainha de sempre: "Se não aprovar a reforma administrativa o Brasil quebra". Este é o novo "se não aprovar a PEC dos Gastos o Brasil quebra", que era o novo "se não aprovar a reforma da previdência o Brasil quebra", que por sua vez era o novo "se não aprovar a reforma trabalhista o Brasil quebra". Quebrou mesmo assim e a desigualdade social continua a mesma.

A reforma administrativa abre espaço pra que o Estado seja tomado por laranjas, capangas e cupinchas. Preparem-se para ver mais Wals do Açaí e Queirozes surgindo nos próximos anos.

Guardiões de Crivella e os Gladiadores do Altar

O Rio de Janeiro está complicado. Sem governador, sem prefeito, rumo ao desconhecido – ladeira a baixo, na banguela e apenas com umas havaianas para frear o pneu com o pé.

Mas um povo que preferiu Moreira Franco a Darcy Ribeiro e ainda deu voto de confiança para Garotinho e Marcelo Alencar fez por merecer.

RJ: exemplo de estado fundamentalista neopentecostal. Será que os "guardiões" não são inspirados na claque presidencial? É bem provável que o mangueirão presidencial também tenha funcionários públicos pagos para estarem lá!

"Mas, Helder, São Paulo é o Tucanistão, você não pode falar nada."

De fato, é o Tucanistão. E uma coisa não anula a outra. O Rio tem o agravante de ter um projeto político misturado com milícias e igrejas evangélicas. Eu sei que o PSDB é ruim, mas essa configuração de governo me parece relativamente pior.

E o caso dos Guardiões do Crivella é só mais um episódio de um estado que já abrigou a capital do país, esteve na vanguarda artística e cultural e, nos últimos anos, teve que lidar com o fato de que Tico Santa Cruz, Latino e Marcelo Camelo passaram a ser os artistas mais relevantes da região.

Em reportagem publicada pelo RJ TV na noite do dia 31 de agosto, a Globo mostrou que a prefeitura mantém duplas de pessoas na porta de hospitais municipais para que atrapalhem o trabalho da imprensa, impedindo gravações e links ao vivo com gritos.

Geralmente formadas por homens na casa dos 50, 60 anos, essas duplas são constituídas por funcionários contratados e pagos pela prefeitura, em cargos de confiança.

A remuneração varia de 3 a 4 mil reais e a ocupação exige uma jornada embaixo de sol para agir como capanga do pastor Crivella.

Um dos veículos mais afetado foi a Globo, eterno desafeto da TV Record, que integra o mesmo grupo político do prefeito, eleito pelo partido dos Republicanos, pastor da Universal e sobrinho do Edir Macedo.

Todas as vezes que os repórteres tentavam entrar no ar, os tiozões gritavam:" Globo lixo!". E, bom, essa é aquela famosa treta em que geralmente ficamos do lado da treta. Mas tem alguns poréns aí.

Repórter é peão, funcionário da casa e muitas vezes mal remunerado.

Arrisca-se a pegar covid para trabalhar. Portanto, esse tipo de atitude seria inaceitável também se os Marinho tivessem contratado gente para fazer o mesmo com jornalistas da Record. Outro ponto problemático é o que leva uma pessoa a aceitar tal cargo. Eu sei que as dificuldades financeiras do cidadão são muitas, mas dificilmente alguém toparia algo do tipo se não acreditasse mesmo na ideia e nos objetivos do patrão.

E toda vez que citamos o problema dos evangélicos aqui não é por sermos intolerantes. Porque quem o é, na verdade, são eles. Nós estamos apenas reagindo e alertando-os sobre a capacidade de se criar um Evangelistão no Brasil. Isso nem está tão longe de acontecer.

Basta lembrar que neste momento temos dois ministros terrivelmente evangélicos no poder, e com muita força. Diferente do próprio Crivella, que quando foi ministro do PT estava na pasta da Pesca e, como pastor, o máximo que podia fazer era influenciar a multiplicação dos peixes, caso acreditasse em milagres bíblicos, já que os líderes da Universal não costumam acreditar muito neles.

Outra recordação que se faz necessária é que a mesma Universal tem um grupo chamado Gladiadores do Altar, cujo objetivo é realizar as obras de Deus e desfazer as obras do mal. Quando digo hoje, em 2020, que existe o perigo de o Pastor Gilson entrar na sua casa e batizar vocês à força, posso estar exagerando. Mas daqui a dez anos vocês voltam aqui e me contam.

O projeto forma jovens não só aqui, mas na Argentina, Peru e Colômbia também. Querem transformar esses jovens em uma força de choque treinada para contribuir com o que, segundo eles, "Deus precisa para o seu plano".

Em meio a um aprofundamento da crise econômica e à emergência em vários países de líderes políticos burgueses, que fazem o estilo messiânico e violento contra a classe trabalhadora e as minorias sociais, esses embriões fundamentalistas não devem ser deixados sem atenção.

Seitas que magicamente prometem o fim das privações econômicas e sociais (se você se junta a eles, "Você para de sofrer"), crescem muito mais quando há um terreno fértil, no qual a pobreza em massa e a discriminação social representam "modelos" político-econômicos hegemônicos.

Não é à toa que países como Angola e Alemanha tentam ou extirpar a Universal de seus países ou limitar o poder dela, porque claramente um projeto tão forte com braços no jornalismo, política e religião é algo que pode causar danos irreversíveis.

No caso dos guardiões do Crivella, o projeto pode gerar um processo de impeachment do prefeito, que tentará se reeleger em outubro deste ano, mas chega enfraquecido ao pleito. Até por isso, muito dificilmente a coisa se materializa por agora.

E também, sejamos sinceros: a mesa diretora da câmara do Rio é formada apenas por gente do próprio Republicanos, do PSD e do DEM, que tem por presidente Jorge Felipe. Não me parece muito promissor e também não resolve o problema dos esquemas e gangues que dominam o Rio e, consequentemente, o Brasil.

Rock não morreu, virou música de CEO e filiado do Novo

O rock respira? Sim. Talvez com a ajuda de aparelhos, mas sim, respira.

O problema não está nem na eterna discussão sobre se o rock morreu ou ainda está vivo. Esse debate já deveria ter sido superado quando percebemos que os shows das bandas mais famosas são frequentados principalmente por pessoas muito parecidas com o João Amoedo e o Datena.

E se isso não é um indicativo claro de que o rock morreu e você está apenas vendo um espectro, eu não sei mais o que poderia ser. Por ser uma pessoa que cresceu ouvindo rock, consumindo essa cultura via clipes da MTV e tiozão tocando Smoke in The Water com violão tonante desafinado em bares da zona leste, tenho muito lugar de fala nesse assunto.

Mas voltamos ao tema do rock no nosso canal por dois motivos pertinentes: a premiação do VMA na noite do último domingo e a matéria do Valor Econômico que mostra quais são, para CEOs brasileiros, os seus artistas, escritores, obras e filmes favoritos. Aparentemente, os assuntos nada têm nada a ver entre si, mas têm, sim, e eu vou traçar esse paralelo de forma bem simples.

No VMA, a categoria "melhor clipe de rock" trazia as seguintes bandas entre os indicados: Evanescence, Coldplay, Green Day, The Killers, Blink 182 e Fall Out Boy.

Não vou nem entrar no mérito qualitativo das bandas, porque cada um gasta tempo ouvindo o que quiser, seja banda de skatistas de 50 anos ou gótica suave.

A questão aqui é que, em 2020, as bandas indicadas têm todas no mínimo 20 anos de existência. Não haveria nada de errado nisso se uma ou outra banda da categoria tivesse esse tempo de estrada. Mas todas terem é problemático, porque deixa evidente que, mesmo em uma premiação jovem como o VMA, não estão conseguindo forçar a barra e mostrar uma suposta renovação do rock – porque ela de fato é inexiste. Essa aí é a última geração com algum destaque no *mainstream* mesmo e já era. Atura ou surta.

Só para entender a bizarrice disso, pense no seguinte: imagine se no VMA de 1985 os indicados fossem Blue Cheer, Fats Domino, Little Richard, Elvis Presley e Roberto Carlos.

Nada contra os caras, mas seria bem estranho. Isso não aconteceu porque, evidentemente, naquela época ainda rolava uma renovação em várias frentes. O que já não acontece hoje.

E não acontecendo, o rock domesticado perde o protagonismo para outros estilos muito mais subversivos ou com fãs mais subversivos, como o kpop, o funk e o rap.

E agora voltemos ao começo: o rock virou o quê, de forma geral? Música de tiozão. E quando digo isso, não falo de forma ofensiva, porque tanto o Bezzi quanto eu não somos mais adolescentes e temos muita admiração pelo estilo.

Mas se tem uma coisa inegável é que aquele teor revolucionário do rock já era, morreu com o Grunge. Isso sendo bem generoso, já que nos anos 80 até mesmo o Eric Clapton estava andando por aí de terno Armani de ombreira e mullet, parecendo mais um operador da Down Jones do que um roqueiro. E os Stones já estavam fazendo turnês tocando as mesmas músicas de sempre, dos anos 60 e 70.

É um processo lento de perda de importância, diminuição de impacto cultural e perda de espaço. Tanto que, mesmo nas listas dos mais vendidos ou ouvidos do gênero, sempre vai aparecer Eagles, Pink Floyd e bandas que já têm 4 ou 5 décadas de estrada. Ser velho não significa ser ruim, reitero. Mas se o lance fica estagnado no passado, como o chorinho ou banda de pífano, começa a perder o impacto mesmo. É natural.

E com isso surgiu um fenômeno novo: o rock envelheceu junto com os fãs e precisou se adequar a esse "novo" público para continuar a lucrar. Em uma pesquisa realizada pelo Valor Econômico, dá para se ter uma ideia do tipo de público consumidor do estilo hoje no Brasil: homem, classe média pra cima, com mais de 40 anos.

Na entrevista, eles responderam que o que mais ouvem é pop rock, dando preferência para o Dire Straits e o Elton John. No Brasil, o cantor preferido é o Caetano.

Claro que tem mentira aí no meio. Primeiro porque eles devem ter ouvido apenas as trilhas de novelas dos citados. Segundo porque esse tipo de pesquisa é baseado em mentiras e rola muita omissão. Por exemplo: claro que o líder de uma grande empresa não vai dizer que na verdade é obcecado pelo Capital Inicial. Isso queimaria o seu filme. Fica mais bonito dizer que acha o Elton foda, é uma opinião até mais política, já que ninguém questionaria o talento do pianista.

A segunda camada de omissão está no fato de eles não citarem sertanejo. Todo mundo sabe que ricaços ouvem sertanejo escondido desde os anos 80. Eu tive um chefe que produziu o primeiro show do Chitão e Xororó no antigo Palace. Ele me mostrou matérias da época falando do sucesso do show, que estava repleto de ricaços na plateia. Segundo as reportagens, os tais ricaços tinham vergonha de dizer que curtiam o estilo, considerado música de doméstica naquele período.

Mas, fora os clichês musicais, algo ainda mais complicado aparece na parte de literatura. Eu sei que é difícil para muita gente ir além da obviedade na música. Mas quando se trata de literatura, a gente espera que ao menos as pessoas leiam o que seja realmente importante para sua área. Entretanto, os executivos de grandes empresas discordam disso.

Entre as leituras preferidas, autoajuda e filosofia predominam. E autoajuda da pior possível, que é a financeira, com livros estrangeiros do tipo Como Criar uma Empresa Campeã. Em filosofia também não estamos falando evidentemente de Hegel, Kant e Sócrates, que eles devem achar que é aquele jogador comunista corintiano. O que me deixa mais assustado é que esses caras são quem decide o futuro do país. Porque, vamos falar a real aqui: se qualquer político precisa estar alinhado com o mercado para se manter no poder, significa que você precisa concordar com um cara que lê autoajuda e ouve baladas do Elton John.

Mais que isso, é importante quebrar aquele discurso moralista e bobo segundo o qual hoje o brasileiro é ignorante porque não ouve rock. "Se tivéssemos Renato, Cazuza e não sei mais quem vivos, seria diferente."

Não seria. O Bruce Springsteen está vivo, mas isso não impede que habitantes de New Jersey votem no Trump. E isso vai além: grande parte dos tiozões que hoje apoiam o Bolsonaro estavam lá nos anos 80, curtindo Legião e Cazuza. Não entenderam nada. Muito pelo contrário: pegaram músicas-manifestos contra a elite, como Brasil e Que País é Esse, e usaram nos trios elétricos das manifestações que derrubaram a Dilma e levaram Bolsonaro ao poder. O rock não é parte da solução. A essa altura, já virou parte do problema. Quando você vê um outdoor em Chapecó, pago por um grupo chamado Opressores do Rock, com a foto do Bolsonaro com uma guitarra, chegou a hora de falar por aí que você curte Barões da Pisadinha.

Ou vocês esqueceram que os fãs de Roger Waters ficaram bravos com o posicionamento dele em show no Brasil? Enquanto movimento do underground, pode haver resistência política no rock. Fora dele, é trilha sonora de dono de padaria que se acha milionário por ter um Corolla e que ouve Antena 1 24 horas por dia.

As séries mais vistas pelos CEOs também não me deixam pensar em outra coisa a não ser: será que os caras estão vendo isso para aprender algo que possam aplicar nos próprios negócios? Porque sinceramente eu não acredito que CEO assista Breaking Bad para discutir o problema da empregabilidade na terceira idade. Eu apostaria que tem mais a ver com diversificar os negócios, mas não posso provar.

Bastidores de documentário provam o óbvio: Bolsonaro é despreparado

O Bolsonaro nunca deixou de ser o que é: uma pessoa com incapacidade de relações sociais com qualquer outra que não seja um milico octogenário, miliciano da Baixada Fluminense ou pastor picareta.

O silêncio dele durante alguns dias de agosto não representa de fato uma mudança, mas só uma puxada no freio de mão para não se complicar ainda mais em um momento em que Queiroz, Fred Wassef, Flavio Bolsonaro, Allan dos Panos e Carluxo são investigados. Se não fosse por isso, pode ter certeza que ele estaria mais falastrão. Não é que o centrão moderou o Bolsonaro. O Bolsonaro é que tem medo de ter o fim que muita gente do centrão encontrou na última década: parar no xilindró.

Portanto, quando ele volta a chamar jornalistas de bundões, dizer que quer encher a cara de um repórter de porrada e desdenhar mais uma vez da pandemia, não cometeu nenhum ato falho ou deslize. Deslize é quando ele está quieto. Quando abre a boca é isso mesmo: bravatas, ameaças e mentiras. Muitas mentiras.

O filme O Fórum, do alemão Marcus Vetter, mostra isso trazendo à tona pela primeira vez imagens de bastidores do Fórum Econômico Mundial, que acontece há 50 anos anualmente em Davos, na Suíça.

Criado e mantido desde então pro Klaus Schwab, o evento reúne políticos e representantes empresariais do mundo todo para debater o mesmo assunto de sempre: como o capitalismo pode ser mais sustentável e menos nocivo ao meio ambiente e às pessoas.

Há 50 anos ninguém encontra a resposta. Mas o importante é que continuam tentando. Ou fingindo.

Ou nem tanto, como ocorre na aparição do nosso presidente no filme. Na última segunda-feira (24), viralizou-se um trecho do doc, publicado pelo jornalista Guilherme Casarões, da Época, que mostra um diálogo entre Jair e o ex-vice presidente norte-americano Al Gore.

A cena toda parece um misto de The Office, Borat e Mazzaropi. Embora a gente já tivesse a certeza de que o Mito na verdade deveria ser chamado de O Jeca, nada melhor do que ver um vídeo que comprove isso.

Tudo está errado na conversa e na abordagem do assunto. A postura corporal, a cara de deslumbre e as mentiras contadas em tão curto espaço de tempo dizem muito sobre o excrementíssimo.

Para puxar assunto, Al Gore fala que conhece e gosta do Alfredo Sirkis, político do Partido Verde brasileiro que morreu em um acidente de carro recentemente.

Bolsonaro então responde que o Sirkis foi inimigo dele na luta armada. Al Gore, que não sabia, se desculpa por ter citado logo alguém por quem o Bolsonaro não nutre simpatia. Mas como bom americano que é, não teria como saber que, na verdade, naquele momento, o nosso presidente estava começando a conversa com uma grande mentira, pois tem obsessão em contar vantagem e lorota.

O paspalho mente tanto que Sirkis foi embora do Brasil em 71 e o Jair entrou nas Agulhas Negras em 73. Quando Sirkis era da luta armada, ele estava estudando para passar na AMAN e batendo bronha para o concurso de Miss Brasil na TV.

A grande frustração desse idiota é que a ditadura acabou justo quando chegou a sua vez.

E ele é reincidente nessas mentiras. Anteriormente, comentou que ajudou a ditadura a caçar o Lamarca no Vale do Ribeira quando tinha apenas 12 anos.

Pior é que ele não deve ser o único sexagenário da região que acredita ter lutado entre os 9 e os 14 anos contra os comunistas. Assim como muita gente que vota hoje no Bolsonaro diz que ajudou a fundar o PT e se decepcionou. Ou como todo mundo tem uma tia que atendeu a Ivete com overdose num hospital em Salvador. Enfim, mentiras setoriais que muita gente repete até acreditar que foi verdade mesmo.

Isso diz muito sobre a idade mental do adulto brasileiro. Talvez não sejamos esse povo 'alegre' que os gringos dizem, mas apenas imaturos.

O foda é que o fato historicamente fascista de "ele ser um de nós lá no poder", aliado ao culto à humildade ressentida que existe no Brasil, blinda-o para muita gente. Infelizmente, muitos adoram o discurso do Charlinho. Tanto que nas redes faz muito sucesso aquele tipo de meme sobre tomar café coado por uma velha ou comer arroz, feijão e ovo em prato Duralex.

Mas enfim, voltando ao doc: Bolsonaro depois escandaliza o Al Gore e diz que gostaria de explorar a Amazônia junto com o Estados Unidos. O democrata finge demência, diz que não entendeu e sai de fininho. As cenas que aparecem depois, Jair e Ernesto Araújo isolados na salinha de café do Fórum, são de partir o coração, porque eles estão claramente isolados no local.

Depois dessa, eu não sei o que a imprensa ainda espera pra tratar esse cara como a piada que é. Na próxima reunião no cercadinho não será o caso de perguntar pelo dinheiro, será preciso baixar ao nível dele: "Tu é corrupto ou tu é corno!?". Já levamos essa piada como presidente longe demais e a mídia paga o preço por não dar os nomes certos às coisas. Na imprensa internacional, ele é tachado como líder de extrema direita. É o que ele é. Se continuarmos assim, vamos ficar para sempre nesse eterno fingimento de que o Bolsonaro é domável. Não é. É um cavalo xucro mesmo.

Além dessa passagem muito interessante para nos fazer enxergar que o presidente é igual nos bastidores internacionais, o filme ainda traz Paulo Guedes dizendo que o presidente é meio duro, era um capitão, mas que eles são criticados apenas porque levaram moralidade a Brasília. Nem parece que o ministro opera na bolsa enquanto atua no governo, é acusado de golpes em fundos de pensão e o chefe dele é relacionado apenas com gente que está sempre no limiar de puxar uma etapa.

No resto do doc, o cineasta dá enfoque principalmente aos entraves que existem entre política, economia e sustentabilidade. Por mais idealistas que as pessoas ouvidas sejam, existe uma diferença clara entre discurso e prática.

O próprio criador do Fórum se coloca mais de uma vez em um espectro ideológico mais à esquerda, talvez um social-democrata ou um homem de centro esquerda.

Mas em um mundo globalizado e com concentração de riquezas nas mãos de poucos, todo mundo ali parece saber que esse tipo de evento é apenas mais uma forma de enxugar gelo ou apagar incêndio com canequinha.

Jennifer Morgan, do Greenpeace, diz que os participantes criam projetos marginais ao poder econômico e usam boa retórica para fingir que estão melhorando as coisas. Mas não estão.

O historiador Rutger Bregman comenta que é estranho 1,5 mil jatinhos se dirigirem para lá e ninguém falar de evasão fiscal. Parece conferência dos bombeiros em que não se pode falar de água, mas pode-se insistir em projetos filantrópicos e convidar o Bono para discursar. A provocação é válida e muito boa. Afinal, Bono é a cara da hipocrisia e do cinismo de uma parte das pessoas ditas progressistas. Levou sua residência fiscal da Irlanda para a Holanda, para poder pagar menos tributos. Em 2015, o cantor defendeu inclusive a transferência de alguns negócios para paraísos fiscais: "Porque você é ativista as pessoas acham que deve ser burro nos negócios". Enfim, a hipocrisia. Ou malandragem. E, no fundo, é sobre isso que Davos se apoia em parte, sobre cinismo e malandragem para simular um capitalismo mais responsável, apesar da boa intenção de alguns envolvidos.

Flordelis: um caso de hipocrisia religiosa

Uma coisa boa é quando o universo conspira para colocar duas alas indefensáveis de qualquer setor da sociedade em evidência simultaneamente, por denúncias ou crimes hediondos que provam a hipocrisia entre discurso e prática.

E é isso que rolou nos casos do Padre Robson, de Goiás, e Flordelis, a deputada e pastora que foi mandante da morte do próprio marido, o pastor Anderson do Carmo.

Junte esses casos com a expulsão da Igreja Universal de alguns países africanos e não podemos deixar de estar felizes com ver a história provando o que sempre falamos aqui: ou a gente aceita que neo pentec e renovação carismática são o grande problema da religiosidade cristã brasileira, ou qualquer dia o Esdras vai entrar na sua casa e batizá-lo à força.

Mas vamos falar da Flordelis porque, apesar de acabar em desgraça, a história dela é um exemplo de que a gente não sabe da missa um terço. Ou do culto, porque ela é evangélica.

Segundo o MP, ela teria sido a mandante da morte do marido, em 2019. Na investigação, também foram expedidos mandados de prisão para 11 pessoas, a maioria delas filhos adotivos e biológicos de Flordelis, além de um neto e, claro, um PM, num raro caso em que um policial se envolve com crime no Brasil.

A investigação que levou um ano e dois meses descobriu não só isso, mas muitas outras histórias paralelas que vale a pena lembrar.

Antes de mandar executar o Anderson na frente de casa, a investigação concluiu que a Flordelis tentou matar Anderson envenenado não só uma, mas seis vezes, provando que o Bolsonaro está certo quando diz que o brasileiro aguenta tudo, entra no esgoto e sai vivão. O Anderson é a prova de que nem o chumbinho escondido no caviar é capaz de matar um homem ungido.

Mas usar veneno para temperar a comida não é a única coisa incomum quando falamos de Flordelis. Uma das testemunhas ouvidas no caso, um homem, diz que ela também realizava rituais secretos e orgias em casa. Ao ir até o local, ele diz ter sido colocado em um quarto por sete dias para purificação e depois acabou tendo relações com a deputada do PSD, partido do Kassab.

Nesse mesmo ritual, Anderson era colocado nu em um círculo riscado a giz e usado como oferenda pela mulher.

Além disso, Flordelis dizia que todos os integrantes do grupo restrito eram anjos que ela estaria salvando e colocou-lhes nomes. Anderson do Carmo era Daniel ou Niel; Carlos Ubiraci era Rubem; Wagner Andrade Pimenta passou a ser Misael, e Alexander, Luan. Misael, Luan e Rubem são filhos afetivos de Flordelis e passaram a conviver com a pastora na favela do Jacarezinho, na Zona Norte do Rio.

Está achando que para por aí? Não. Esse relacionamento foi estranho desde o início. Quando começou a ficar com Anderson, a pastora tinha 30 anos, e ele, 14. Apesar de a relação estar dentro da idade de consentimento, isso não significa que tenha boa ética.

Ainda mais quando o caso ocorre da seguinte forma: ele namorava uma filha biológica da Flordelis. Em resumo: o cara trocou a filha pela mãe. E, segundo a mãe de Anderson, depois fez o inverso, namorando novamente a filha da deputada.

Mas se as traições podem ter sido determinantes para o crime, a real é que o Ministério Público confirmou que o crime foi motivado por algo bem mais óbvio: problemas financeiros. Anderson foi um dos responsáveis por ajudar a criar a história de Flordelis na mídia. Como ela adotou muitas crianças, entre elas vítimas da Chacina da Candelária, era vendida como uma pessoa desprendida, que estaria fazendo o bem, embora a considerassem fanática religiosa apenas.

Nos últimos anos, no entanto, Anderson estaria falhando na administração dos negócios familiares, o que levou a desentendimentos com um dos filhos da pastora, Flavio, que também é suspeito de roubar grana do Ministério e quase chegou a realizar um MMA com Flavio, se é que não realizou um, cobrando dízimo dentro da igreja. Tá, isso já é desejo e fetiche meu mesmo.

Helder

Outro ponto interessante da investigação é a fogueira que Flordelis realizou no quintal no dia em que a perícia sobre o crime foi realizada. Enquanto ela diz que apenas queimou mato alto para conceder uma entrevista, uma das filhas afirma que na verdade queimou documentos no quintal.

Mesmo com a conclusão das investigações, Flordelis não será presa agora por ter imunidade parlamentar, que só pode ser quebrada se o crime for em flagrante ou inafiançável. Sendo assim, temos no parlamento brasileiro uma pastora evangélica, amiga da primeira dama, que foi acusada de mandar matar o próprio marido.

Sim, porque ela e Micheque são muito próximas. Isso pode não significar nada, mas mostra como os amigos da familícia são" tudo gente boa". Não há quem não tenha uma ficha criminal, não esteja sendo investigado ou já tenha sido preso. E serve de alerta para o Jair ficar esperto. Espero que elas tenham se unido só para uma célula de orações. Porque se foi para trocar conselhos conjugais, Mourão já está no aquecimento. Eu, se fosse o Jair, pediria só MC Donalds até o fim do mandato. Vai que... Flordelis também integra o pequeno time de pessoas vivas que tiveram um filme em sua homenagem, o que eu sempre acho um erro. A vida de alguém pode mudar demais em poucos anos. E a obra acabar sendo algo não só incompleto, como inútil.

Mas um documentário dramatizado, de 2009, ousou contar a história dela até então. "Flordelis – Basta uma Palavra para Mudar" traz a própria pastora dando depoimentos de vida, enquanto atores globais interpretam os jovens que ela ajudou a salvar.

Participam do filme Bruna Marquezine, Reynaldo Gianecchini, Deborah Secco, Alinne Moraes, Letícia Spiller, Letícia Sabatella, Cauã Reymond, Fernando Lima, Rodrigo Hilbert e até a Ana Furtado, que deve ter sido escalada para substituir a Ana Maria Braga ou a Fátima Bernardes. Vocês devem estar imaginando: meus deus, como tiveram a ideia de fazer um filme tão errado assim? Bom, vocês sabem, o brasileiro não resiste a uma história com o conceito de menino Charlinho, então isso tomou forma e existiu. As críticas da época foram maravilhosas.

Celso Sabadin, do Cineclick, disse que "jamais havia visto um filme tão errado. Da proposta à execução. Da trilha sonora à direção de arte. Do roteiro à direção. Da montagem a... sei lá mais o que possam inventar. (...) É bizarro. Surge na tela a figura de, por exemplo, Reynaldo Gianecchini, e no crédito aparece, digamos, "José". Surge Letícia Sabatella com o crédito "Fulana de Tal". E assim por diante. E tem mais: os atores explodem na tela lindos, maravilhosos, maquiadíssimos, falando um português mais do que perfeito, com uma fotografia exuberante... Vestindo roupas humildes e emoldurados por um cenário que pretende sugerir que eles estão na favela. São depoimentos longuíssimos, quase sem cortes, enfadonhos, sem ritmo. E todos em preto-e-branco." Já não bastasse da vergonha de participar de algo tão estranho esteticamente, agora esses atores vão ter que lidar com o fato de o personagem retratado não ser assim tão legal quanto o filme quis vender. Mas tudo bem, ninguém vai deixar de morar no Leblon por isso. Talvez nem a Flordelis.

Vampetaço, Burzum e os tupinivickings

Fala, seus mal diagramados. Se tem uma coisa que o brasileiro domina melhor do que ninguém é arte da zoeira, dos memes e, agora, de espalhar fotos de homens famosos pelados em posts de gringos que ofendem o nosso país.

Eu sei que quase ninguém mais está com muito orgulho do Brasil nessa fase e o povo só quer viver em paz. Mas ter que aguentar neonazi xarope da Noruega falando mal do nosso país exige medidas extremas. Só quem pode falar mal do Brasil somos nós mesmos.

E se você quebrar essa regra de ouro da internet, se prepare para receber fotos nuas do Vampeta, do Kid Bengala, Dinei, You Can Dance e Roger, do Ultraje. Tá, do Roger ninguém manda, porque seria depreciativo para a anatomia masculina do brasileiro.

Mas foi isso que usuários da internet fizeram com Varg Vikernes, líder do Burzum nesta semana. O músico de extrema direita publicou uma lista com os países que mais odeia no mundo. Na compilação, em primeiro lugar aparece Israel, já que o artista sempre deixou claro ser bastante antissemita. Em segundo, os Estados Unidos, por ter muitos judeus e hoje ser um país com relevante miscigenação. A índia aparece em terceiro, por ser bastante muçulmano. E o Brasil, que não consegue medalha de bronze nem numa disputa inglória como essa, surge em quarto. E eu não preciso explicar os motivos.

Alguns seguidores do Varg ficaram chateados com ele. Você deve saber bem que tipo de brasileiro ficaria surpreso ou ofendido com o fato de um Norueguês neonazi, que defende conceitos como eugenia e pureza racial, se sentir triste com isso, não é?

É aquela galerinha que importa esses conceitos da Escandinávia e tenta convencer os amiguinhos gringos de fóruns de internet de que também é europeia legítima.

Entra naqueles papos completamente equivocados com um inglês pior que o do Eduardo Bolsonaro: meu sobrenome é alemão, na verdade eu estou meio bronzeado agora porque faz muito sol no Brasil, mas juro, sou branco. Minha família é toda europeia, de Capivari de Baixo, em Santa Catarina, eu não sou igual a esses tupinivickings de São João da Baliza, não. Sou diferenciado.

Do outro lado, os caras tão apenas rindo, mas pensando: é, esse otário latinazi pode ser importante para o nosso projeto na América do Sul. Vamos fingindo que somos amigos dele por enquanto.

Mas eles mesmos não aguentam por muito tempo e, como sabem que a autoestima de um white pardo é muito baixa, ofendem o Brasil sempre que podem, porque sabem que a galera vai aceitar. No caso específico do Varg, ele falou que não tem um motivo para não odiar nosso país e que queria o território quase todo despovoado.

Foi então que um exército de usuários de internet inundou as redes dele com fotos de jebas de brasileiros, principalmente negros. O ataque foi tão massivo que Varg precisou trancar as redes sociais para não ser mais importunado.

Eu ri. Ri, sim. Eu sei o quanto nós podemos ser inconvenientes em vários momentos na internet. Sei. Mas também sei como sabemos usar essa inconveniência para encher o saco de gente como o músico norueguês, e isso é magnífico demais para ser desprezado ou receber qualquer análise politicamente correta, porque papo com extremista do tipo dele nunca pode passar pelo crivo da ética ou da moral. E isso não nos iguala a eles. É só uma prevenção para que não nos tornemos vítimas deles.

Porém muita gente nem conhece a história do Varg. Nós vamos tentar resumi-la aqui, para não sermos redundantes para quem a conhece e nem chatos demais para quem não conhece. Nem há tanto interesse assim em homens que parecem atores de Vickings, tocando uma música que para alguns nem sentido faz.

Mas vamos lá: Varg é líder do Burzum, ficou preso 16 anos por ter matado o colega de banda, Euronymous, e tem um largo histórico de criação de grupos de extremistas no país escandinavo, nos anos 90.

Na época, ele e vários outros envolvidos no black metal criaram o Inner Circle, que era simpático ao neonazismo. O Inner botou fogo em igrejas e criou toda uma geração com simpatia por papos como eugenia, antissemitismo, Europa livre de imigrantes, pureza, paganismo e apoio a pessoas da política que são uma espécie de cosplay do Adolfinho – o que no Brasil se materializou num representante bem parecido fisicamente com o ditador, o que é mais bizarro.

A questão é que essas ideias foram sendo espalhadas em fóruns de internet, comunidade de gamers online e, claro, no rolê de roqueiros reaças do mundo todo, o que não é nem novo e nem chega a ser culpa só do Varg, porque o precede. Veja: antes, muito antes da vara do Vampeta ser espalhada por aí, o rock já lidava com uma onda reacionária e os motivos, acreditem, foram muito parecidos com os do movimento que levou muito músico daqui a ficar caretão.

O pontapé inicial disso ocorre ainda nos anos 80. Diante de uma crise econômica sob o governo de centro-esquerda do Partido Trabalhista, no Reino Unido, membros do partido fascista National Front decidiram cooptar jovens rebeldes, sem expectativas de futuro, inseridos em culturas urbanas.

Assim, começaram a surgir bandas que abordavam, em suas letras, a simpatia dos seus membros pelo nazismo e pelo fascismo. Em 1982, foi criado o festival Rock Against Communism (rock contra o comunismo, conhecido pela sigla "RAC"), em oposição ao Rock Against Racism ("rock contra o racismo"), que era organizado por movimentos de esquerda. O RAC se tornou, mais tarde, um movimento que incluía selos, fanzines e bandas. Aqui, não chegamos a tanto. Mas o que teve de roqueiro se dizendo contra o comunismo do PT e caindo no colo do fascismo do Jair, não foi brincadeira.

E é sempre o mesmo caso: um partido de esquerda comete falha, se envolve em algum escândalo e, pronto, as viúvas do eixo do mal saem dos bueiros para cooptar uma galera por meio do entretenimento e da cultura. Pode nem ser rock, mas o modo como funciona é muito parecido historicamente.

Aqui, por exemplo, esse tipo de movimento desaguou sem ter artistas que criassem conteúdo representativo para esse segmento, até porque o conteúdo lírico dos artistas minions nada tem a ver com política.

Roger, Lobão, Edu Costa, Fagner não seriam tachados de extremistas, se fôssemos ler só o que escreveram em suas obras. O Roger só seria considerado bobo. O Lobão seria encaminhado para a terapia. O Edu para o Alcoólicos Anônimos. E o Fagner para a fono, para ver se consegue melhorar o timbre. Mas no submundo da internet, essas ideias continuam a se espalhar muito bem e a fazer até a cabeça de jovens. Não faz muito tempo, um adolescente foi detido na Avenida Paulista vestindo camiseta do Burzum com suásticas. O burzuminion, como ficou conhecido, tomou a famosa canseira de delegacia, mas até agora não deu em nada. A melhor coisa surgida no caso é o relato de como foi a abordagem a ele na delegacia.

Em um relato feito por um dos envolvidos, a equipe viu a história da banda na internet e todo mundo ficou tirando onda: 'alá os vikings', ficou falando os nomes dos caras [em volume] alto, e era tudo nome normal de brasileiro. Ele (delegado) deu risada e me falou que, como a suástica está descaracterizada, não iria autuar como crime de ódio, só dar uma canseira nos caras, fazer as mães colarem lá, até porque um era menor de idade". Ok, o relato é relativamente engraçado, porque sempre é engraçado ver o Santos Silva Pereira Lima bancando esse papel ridículo. Mas a real é que aqui ou na Noruega, geralmente esse tipo de gente vai sendo relevada até que possa realmente acontecer algo violento ou complicado.

Não podemos nos esquecer de que, quando Anders Breivik matou 77 pessoas ligadas ao Partido dos Trabalhadores norueguês em 2011 (a maioria crianças), todo mundo estava ignorando que a extrema-direita agia de forma organizada mundialmente em fóruns. E Anders era um fã do Varg.

Dez anos depois, temos um governo brasileiro que segue boa parte do manifesto que Anders escreveu. Segundo um texto dele, com 12 referência ao Brasil, o nosso país melhoraria com:

- Pureza étnica;

- Eliminar o islamismo;

- Oferecer boa educação para toda a população (Weintraub?)

- Políticas conservadoras e nacionalistas e livre mercado (liberalismo + fascismo).

O Brasil também aparece no trecho em que o atirador fala do uso de golpes para a tomada de poder em alguns países. Ele diz que "em 1889 o Brasil se tornou uma república após um golpe de Estado (?)". Breivik ainda fala que os "conservadores devem tomar o poder político e militar através de uma combinação de luta armada e democracia". Os mesmos papos da Sara Winter, aliás.

Ou seja: eles querem abalar todas as instituições e, consequentemente, a república. Hostilizar o exército também é um dos objetivos. Existe um filme sobre o caso na Netflix, chamado "Utoya - 22 de Julho".

Para limpar a própria barra, Varg disse que Anders era maçom, que errou ao matar compatriotas e que as crianças ainda não eram marxistas e não deveriam morrer. Claro, Varg, acreditamos nisso, sim.

O estrago desse rolê já está feio mundialmente e resvala aqui. Mas quem sabe o ataque de vampetaços faça essa galera ter menos autoestima nas redes. Os fãs de Kpop sempre conseguem isso com fancams, então porque não atacar com pirocams? Se o sujeito não aprende no diálogo, vai ter que lidar com muita piroca brasileira para ficar na moral. Essa é a maneira com que a esquerda tem que se comunicar. Academicismo é legal, mas a linguagem entendida mundialmente é dedo no cu e gritaria.

Morte no Carrefour e a autoexploração sem fim

Um funcionário da rede de hipermercados Carrefour morreu, na última sexta-feira (14/8), enquanto trabalhava em uma unidade do bairro Torre, no Recife (PE). O corpo dele ficou no meio do estabelecimento e foi coberto com guarda-sóis por quatro horas, até que o IML chegasse. Nesse meio tempo, a loja funcionou normalmente e o espaço em que ele veio a óbito ficou disponível a olhares como uma instalação da Marina Abramović.

Moisés Santos, de 53 anos, promovia produtos alimentícios no local quando sofreu um mal súbito e não resistiu.

A notícia por si só já causa uma indignação óbvia em quem ainda consegue ter alguma sensibilidade. Até porque injustiça e supermercados andam lado a lado no Brasil atual. Não podemos esquecer que nos últimos anos tivemos gente chicoteada em mercado, cachorro sendo morto e homem negro sendo perseguido por seguranças. Isso sem contar outro grande problema, que é o fato de segurança e gerente se acharem donos da loja e voltarem para casa de celtinha 2012 com busca e apreensão. Mas não vamos entrar de novo nesse mérito. De novo não. Vamos tentar aqui discutir de uma outra maneira, de uma outra ótica esse caso. A morte do cara, que ainda não tem causa definida, parece mais um daqueles casos em que o sujeito é vítima da autoexploração do capitalismo moderno.

Toda a estrutura de trabalho que enfrentamos hoje converge para que cedo ou tarde a gente caia morto dirigindo um Uber, em cima de nossos computadores, operando uma máquina ou entregando uma quentinha.

O esgotamento na sociedade atual é real.

Uma pesquisa de professores da Universidade de Angers, na França, publicada em junho de 2019, mostrou que trabalhar mais de 10 horas diárias, por pelo menos 50 dias ao ano, é um fator de risco para a ocorrência de Acidente Vascular Cerebral nos trabalhadores. Imagine isso no Brasil, que tem sujeito trabalhando 16.

Já o Instituto de Estudos do Emprego do Reino Unido indicou uma relação entre longas jornadas de trabalho e o desenvolvimento de tabagismo, problemas relacionados ao sono e doenças cardiovasculares. Ou seja: evitar o torresmo pode ajudar a sua saúde, mas as horas extras vão roubar o benefício de não se entregar a esse prazer gastronômico.

O Ibope também demonstrou que 98% dos brasileiros se sentem cansados mental e fisicamente. Os 2% que ficam de fora devem ser aqueles que aparecem na revista Caras.

Morrer na contramão atrapalhando o tráfego é só mais um sintoma disso. Chico Buarque sabia o quanto a vida não vale nada pro empregador. Morreu? Lamento. O que eu posso fazer?

E até Humberto Gessinger, dos Engenheiros do Hawaii, explorou isso muito bem na letra de Nunca Mais Poder, que fala desse hábito de se submeter a uma rotina exploratória que causa medo, que faz as pessoas buscarem sempre mais, parecerem ser o que não são.

Ninguém, no entanto, foi mais profundo nesse tema do que o filósofo Byung Chul Han – até porque ele é filósofo e não cantor de MPB ou roqueiro gaúcho. E tem obrigação de ser menos superficial.

Em mais de um livro, como Sociedade do Cansaço e Topologia da Violência, Han situa a configuração do neoliberalismo que vivemos hoje como o principal culpado não só desses efeitos físicos que a autoexploração causa, mas também dos psíquicos, já que o ciclo de estar sempre se cobrando gera Burnout, depressão e pode resultar no fim da vida.

Isso porque sociedade do século XXI não é mais a sociedade disciplinar, mas uma sociedade de desempenho. Também seus habitantes não se chamam mais "sujeitos da obediência", mas sujeitos de desempenho e produção. São empresários de si mesmos. Eu aqui, falando para vocês por meio de um canal de Youtube, sou exemplo disso.

O Moisés mesmo é isso. Ele tinha metas, cobranças e precisava fazer o produto ser bem vendido no mercado. Se não, tem uma sobrinha do cara do RH aí, na fila, para pegar a sua vaga. Sempre tem.

Isso tudo leva a uma autoacusação destrutiva e a uma autoagressão. Nietzsche já nos alertava de que "por falta de repouso, nossa civilização caminha para uma nova barbárie". E quer maior barbárie do que comprar um caixa de Skol com um cadáver caído ao lado dos artigos de praia? David Lynch não pensaria nisso.

A lógica capitalista é a lógica da acumulação crescente, permanente e desenfreada, da cultura do consumo, do criar e se mostrar enquanto valor. Um mercado é um bom exemplo físico disso. E por isso o Moisés não pode parar, por isso o mercado não pode fechar, por isso você precisa trabalhar enquanto os outros dormem.

Essa sociedade do desempenho se realiza, num país de capitalismo neoliberal dependente como o Brasil, de forma até mais contraditória e dramática do que na Alemanha de Byung-Chul Han, país em que o sul coreano vive há décadas.

Han argumenta que cada época possui epidemias próprias, como as doenças bacteriológicas e virais que marcaram o século 20. Para ele, as patologias neurais definem o século 21, e todas elas surgem a partir de um denominador comum: o excesso de positividade, que gera a aceitação de nunca poder parar.

Nunca se trabalhou tanto na história humana. a vida profissional se tornou uma nova espécie de religião.

Perceba. Isso está em todo canto da nossa sociedade. Temos no Brasil uma revista chamada Você S/A, que é uma espécie de ode ao autoempreendedorismo.

Os coach de carreiras também são muito populares por aqui, já que o sucesso é a única garantia de ser feliz, nem que isso custe o distanciamento dos filhos, da mulher e você nem saiba o que esteja fazendo direito. É preciso ser positivo, mostrar o resultado do que você conseguiu nas redes – e não parar nunca. Isso não só gera fatos lamentáveis, como o do Carrefour.

A grande religião sacrificial da modernidade se chama neoliberalismo. É ela que, todos os dias, exige o sacrifício, a imolação do povão, seja o Moisés, seja eu aqui no Youtube, seja o Paulo Galo lá no Ifood, sejam os funcionários do mercado que tiveram que fazer vista grossa e trabalhar com um morto coberto por guarda sóis.

Campanha da Folha quer derrubar Bolsonaro com dancinha

Fala, seus mal diagramados. Se ainda não tinham visto, fizemos questão de trazer até o conhecimento de vocês o novo comercial da Folha a favor da democracia, que no meu caso teve o efeito inverso: eu já cogito apoiar o fechamento do sistema depois de assisti-lo.

Tá, não chega a tanto. Porém, o mais incrível dessa campanha da Folha com o amarelo é a turma ver o resultado final e realmente achar que vai abafar. Isso, pra mim, mostra o quanto a bolha afastou essa patota da realidade. Qualquer ser razoável ficou mega constrangido com essa peça publicitária. Concordam? Se sim, vocês acabaram de concordar não só comigo, mas também com o Rodrigo Constantino, que escreveu essa frase e acertou pela primeira vez em 2020.

Definitivamente, esse comercial conseguiu o feito de ser um Nirvana do ódio político e unir todas as tribos, da direita à esquerda, que chegaram à conclusão de que isso foi no mínimo desnecessário.

O mais triste no caso é que é um comercial com algumas pessoas que admiramos, caso do Gil, Laerte e Fernanda Torres, mas também com algumas pessoas que já vestiram o amarelo do Morobloco em algumas outras ocasiões. Logo, antes é preciso separar o joio do trigo.

Por isso, além da desfaçatez da peça, é dureza ter que lidar com as presenças de Reinaldo Azevedo e, principalmente, do Pondé no comercial. Reinaldo ainda se arrependeu a tempo, o que significa que não deu apoio ao Jair em 2018. Mas o Pondé é linha auxiliar do Bolsonarismo desde sempre. Se tem algo que ele não costuma ser é democrata.

Mas o caso aqui nem é personalizar a peça. Porém entender como esse tipo de ação é antiquada e não serve mais para comunicar e atrair apoiadores. E isso não é de hoje. Acredito que a primeira e última vez que isso foi bem sucedido foi por meio do USA for Africa. Mas desde aquela época tivemos que lidar com uma música muito ruim para um projeto bem intencionado. Maldito Bob Geldof! Mereceu ser corno do Michael Hutchence.

Mas o USA For Africa tinha um conceito muito mais fácil de entender e resolver: lidar com os problemas sociais de países daquele continente, por mais que possamos discordar dos métodos liberais empregados nessas campanhas.

O da Folha mira em algo abstrato demais para a população de forma geral: democracia. Para o povo médio, esse é um conceito difícil de entender e de explicar. Para os intelectuais, a explicação vai variar absurdamente, pois democracia é algo realmente subjetivo, depende do sistema político que você apoia. Logo, usar o termo democracia, na minha visão de bacharel em comunicação, é pedir para sair perdendo na largada e jogar dinheiro da campanha no lixo.

Mas isso mostra novamente que o Constantino está certo: jornalistas, artistas e publicitários estão presos em bolhas na Vila Madalena, Pinheiros, Vila Olímpia e não conseguem dialogar com o trabalhador há anos. Um meme de zap feito no Paint, com frases vindas de memes, teria efeito muito mais direto e positivo.

Isso daí só prova o quanto a Bélgica está ainda mais distante da Índia brasileira, para usar aquele conceito de que nosso país é uma Belíndia, criado pelo economista Edmar Lisboa Bacha, no qual criticava as políticas praticadas pelo regime militar. A ditadura, segundo o autor, estava criando um país dividido entre os que moravam em condições similares à Bélgica e aqueles que tinham o padrão de vida da Índia. E essa é a Bélgica da esquerda.

Muita gente rica, famosa, bem intencionada, mas que não tá ligada em que o idioma que o povão entende tem primordialmente as seguintes palavras: emprego, dinheiro, comida. É clichê? É sim. Mas é clichê porque ainda falta isso na mesa geral. Se já estivesse lá, todo mundo iria pro próximo nível do debate. Talvez, com algum receio de perder algo que nem nunca tiveram, que é a democracia.

Ou será que os marqueteiros pensam que é possível falar em democracia em realidades que já não são muito boas e ainda pioraram as com políticas liberais do Paulo Guedes, que aprofundaram ainda mais a desesperança e pobreza na periferia?

Porque a gente não esquece que a mesma Folha que se coloca como defensora da democracia hoje, já defendeu o governo e o Guedes com o famoso editorial "No caminho certo". Se o caminho precisava levar a precipício, então ele estava certo mesmo. Porque é para onde estamos indo. E esse editorial, me desculpem, mas não deve nada ao "Uma Escolha Muito Difícil".

Fora que a mesma Folha, que hoje se coloca a favor da democracia, proibiu jornalistas de usarem o termo extrema direita para se referir ao Bolsonaro. E aí entramos mais uma vez na questão dos erros conceituais do jornal. Se Bolsonaro é só direita, eu não quero nem saber como eles imaginam o que seria uma democracia. Espero que não seja igual ao comercial, porque eu não quero viver num país que é um imenso Acadêmicos do Baixo Augusta.

Mas tem coisa boa nessa campanha, que conseguiu ser até mais ridícula do que aquelas com coreografias pró-Aécio, Bolsonaro e a do Levante do Maduro. Com essa peça, o jornal pode enterrar de vez o amarelo como cor que se refere ao patriotismo.

Já não era sem tempo. Vamos lembrar que de 2013 para cá essa cor virou suástica de latinazi. Vai dizer que quando você vê alguém com camiseta do Brasil na rua não pensa: "Ah, lá vai o desgraçado bolsonarista, morfético, seu merda". Eu penso. E ainda concluo: malditos, agora tô com uma camiseta de 300 reais guardada no armário para sempre, porque não vou usar mais essa cor até o dia da minha morte.

Enfim, tem quem acredite que possa ressignificar nossas cores. Mas nessas horas eu lembro das aulas de Semiótica no curso de Jornalismo, e recordo que a cor pode ser agradável ou rejeitada por nós, conforme a convivência que tivemos com ela. No caso do amarelo, eu já rejeito de cara. E o fato de não ter o emblema da CBF não melhora nada. Só me faz lembrar da existência do Morobloco, que é tão ruim quanto as micaretas bolsonaristas e do MBL.

Portanto, a campanha além de tudo pode aposentar o Amarelo. Espero. Porque eu não vou usar. Jamais usaria, até porque essas campanhas parecem cavalos de Tróia que chegam em 2022 para, de novo, criar uma alternativa ao Bolsonaro e à esquerda, naquela intenção de se mostrar equilibrado, moderado. Sabemos bem que isso quase sempre vai resultar numa figura do tipo Bolsonaro de sapatênis, como Moro, Huck e Eduardo Leite.

Até porque, no mesmo dia em que saiu o vídeo, o editorial da Folha era qual? Um texto em defesa do teto. Defender teto de gastos também passa longe de defender democracia. Fascista mata pobre com tiro, liberal deixa morrer de fome. Qual a diferença? Bom, até o fim da vida do pobre no governo liberal, ele ainda vai poder passar um cafezinho e fazer um Uber para a galera do comercial.

Os efeitos desse teto são muito mais intensos entre os mais pobres, os negros e as mulheres. Pela negação dos serviços públicos em virtude da redução de recursos e pelo corte salarial, uma vez que negros e mulheres ocupam a maioria dos cargos da saúde e educação.

A Folha, ao apoiar a manutenção do teto, está apoiando políticas racistas e sexistas, bem como promovendo o declínio da qualidade de vida dos mais pobres. Um dia batem no bozo e fazem campanha a favor da democracia. Noutro, apoiam as políticas de austeridade do mesmo bozo, as quais favorecem apenas a elite, essa mesma que paga muito bem os editores e articulistas do jornal para defenderem suas ideias. Elite que está alinhada com o bozo. Enfim, a hipocrisia.

Esses tipos de campanhas democráticas ou de frentes amplas, no fundo, são apenas nadas, só mostram que há um problema de percepção da realidade por parte dos brasileiros de classe média. A própria Laerte disse que a grande ficha um dia cai. Mas parece que não.

Lava Jato e os golpes na América Latina

Nesta semana, a Lava Jato tomou mais um golpe e mais uma vez tivemos a certeza de que a operação toda foi praticamente uma farsa de um grupo de procuradores, que tinha o objetivo de transformar suas estrelas em futuros políticos e até presidentes do Brasil.

A nova fase da Vaza Jato, publicada no fim de semana no The Intercept, pode não ser a mais esclarecedora da série, mas deixa evidente outros pontos que por anos pareciam só papo conspiratório de esquerdista tiozão lulista.

Nas conversas reveladas, o preconceito com Lula, a intenção de destruir empresas nacionais e de ficar com uma grana para criar um fundo para o Dallagnol, mostram duas coisas de que já desconfiávamos há anos: a LJ era entreguista, fazia conchavo com os Estados Unidos e, embora seus integrantes tenham todos aquelas caras de coroinhas do interior do Paraná, o mais ético ali seria convidado para participar do Governo Pinochet.

Nas conversas, revela-se principalmente o ódio que essa galera tem do Lula. Porque, não, eles não tratam o investigador com isonomia. Os procuradores se referem ao presidente como "o 9" ou "nono elemento", numa referência ao fato de que o ex-presidente perdeu o mindinho da mão esquerda, decepado num acidente de trabalho.

Parece absurdo fazer tal uso de um acidente de trabalho, ainda mais vindo de gente que, se carregar uma sacola de feira, desmaia por não ter hábito de fazer esforços físicos.

Mas não vamos esquecer: esse mesmo grupo do MPF fez pouco caso da morte da Marisa Letícia, do irmão do Lula e até no neto do Lula. Quando falamos que o lavajatista é só um bolsonarista que fala francês, vai ao country club e não pede rabo de galo em um restaurante do Alex Atala, tem gente que acha exagero.

Mas o que a nova reportagem traz de fato novo: mostra que Robito, o Roberson Pozzobon, e Dallagnol, tiveram acesso à investigação sobre o triplex do Guarujá para tentar dar uma melhorada no caso, que era muito fraco.

Com esse acesso privilegiado, dava para criar uns fatos novos, fazer aquela condução coercitiva espetaculosa para gozo do gado e manter a aura de grandes representantes da luta anticorrupção.

A questão é que, mais uma vez, prova-se que eles agiram ao arrepio da lei e faziam o que queriam e como queriam para conduzir as investigações.

Junte a isso a descoberta do Aras sobre o fato de que eles detinham dados sigilosos de 38 mil brasileiros, dados que nem a PGR podia acessar e temos a confirmação de que esses caras passariam a vida toda chantageando inimigos se não houvesse a Vaza Jato. Não que a Vaza Jato vá impedir isso completamente. Até porque, mesmo depois de ter revelado tanto, todos os envolvidos ainda estão atuando no MP tranquilamente.

É mais uma prova — precisava de mais? — de que a Lava Jato se vê como uma entidade autônoma e independente do Ministério Público. Essa "caixa de segredos" da operação, como chamou o procurador, só é acessada por Dallagnol e sua trupe. Ou seja: ao abrir a caixa preta, em vez de descobrir algo sobre o Lula, Bolsonaro descobriu o que não queria sobre Moro e Lava Jato. E mesmo que Aras tenha feito isso com intenções que sabemos quais são, não podemos deixar de reforçar que nunca criticamos esse senhor aqui no canal.

Até porque a Veja diz que Augusto Aras estaria planejando mesmo uma busca e apreensão no escritório da advogada Rosângela Moro, esposa do ex-ministro, a fim de desgastar o casal diante da opinião pública. Talvez isso explique aquela cara de velório do Moro durante o próprio aniversário.

Além da questão política e dos interesses que eles mesmos tinham nesse sentido, porque esse grupo da Lava Jato nutria tanto ódio contra Lula e até mesmo conspirava junto com os Estados Unidos. O sociólogo Emir Sader ensaia uma resposta: "O ódio a Lula é um ódio de classe, vem do profundo da burguesia paulista e do centro sul do país e de setores de classe média que assumem os valores dessa burguesia. O anti-petismo é expressão disso. Os tucanos foram sua representação política e a mídia privada seu porta-voz".

Acrescento: a Lava Jato é seu ato final. Não o Bolsonarismo.

Esse tipo de conspiração contra líderes populares de esquerda poderia ser novidade na América Latina, mas está longe de sê-lo. Isso é parte do que somos. Na verdade, os poucos mais de dez anos que ficamos sem muitos golpes, no início do século, é uma exceção. Não a regra.

Uma obra importante para entender tudo isso são os livros de Eduardo Galeano. A América Latina é terreno fértil para golpes financiados pelos Estados Unidos, como a Lava Jato, porque em todo continente existe uma elite com ódio dos mais pobres de seus países, como esses elementos da Lava Jato. Nem vou citar As Veias Abertas da América Latina, mas um outro livro dele, escrito antes.

Guatemala, que ainda não saiu em português, é um ensaio geral da violência política na América Latina.

No fim da década de 40, a Guatemala começava a demonstrar, aos olhos de toda a América Latina, que um país pode romper o subdesenvolvimento, sair da miséria, sem humilhar-se como mendigo às portas do Império. Isso lembra mais ou menos o Brasil da era Lula.

Líderes do país, como Arévalo e Arbenz não propunham, evidentemente, a socialização dos meios de produção e de troca: a única coisa que fizeram foi uma lei de reforma agrária, que fixava como objetivo essencial "desenvolver a economia capitalista camponesa e a economia capitalista da agricultura em geral".

Isso foi demais para os donos de terra do país, que conspiraram com os EUA para derrubar o projeto. Segundo Galeano, os EUA determinam que na América Latina morra mais de uma criança por minuto de doença ou fome. Quem tocar nessas estruturas, comete sacrilégio: o escândalo estoura. E a história nós sabemos como é. Renúncia, golpe ou impeachment. Aconteceu lá, aconteceu aqui.

Galeano nos mostra que o mesmo ocorreria, depois, com outros líderes de movimentos semelhantes na América Latina: caudilhos populistas ou presidentes com intenções reformistas de caráter nacionalista burguês terminariam seus dias no poder abandonando-o sem sangue; assustados, talvez, pelas contradições que tinham desencadeado e temendo ser ultrapassados pelas forças populares que tinham posto em movimento.

Nem Perón, nem Bosch, nem Goulart entregaram armas aos trabalhadores para a defesa de seus regimes, diante do desafio de sucessivos golpes militares.

Castillo Armas cumpriu sua missão. Devolveu à United Fruit e a outros terra-tenentes as terras ociosas expropriadas e entregou o subsolo de 4,6 milhões de hectares, quase metade do país, ao cartel internacional do petróleo.

Isso tudo lembra as reais intenções da Lava Jato e do Bolsonarismo: acabar com um projeto nacionalista, que priorize as empresas daqui, e entregar as terras e os subsolos para os estrangeiros. Volta e meia, a América Latina precisa conviver com isso. Basta ter um presidente relativamente reformista, não precisa ser muito não, que um tríplex que nem é dele, um sítio mambembe, vira motivo para o poder parar na mão de saqueadores da nação.

Flamengo, Sertanejo e o poder suave do bolsonarismo

Fala, seus mal diagramados. No fim dos anos 80, Joseph Nye criou o conceito de soft power. Em resumo, esse poder suave seria uma estratégia de como o estado conseguiria convencer o povo a apoiar seus projetos, sem ter que recorrer à cacetada na sola do pé, tipo PM Rambo de Diadema, mas sim de maneira bem mais atraente e divertida.

Apesar desse tipo de abordagem governamental existir bem antes de o termo ser criado, é uma forma que vários líderes encontraram para ter base eleitoral desde o século passado, quando a indústria cultural e o mercado esportivo começaram a se tornar maiores e mais relevantes na vida das pessoas. Sim. Já houve época em que não sabíamos nada sobre Luísa Sonza e Felipe Melo.

Hollywood, rock, futebol, basquete, atletismo, críquete, automobilismo, bossa nova, novelas e obviamente sertanejo podem, e muitas vezes conseguem, servir para esse objetivo.

E isso há eras. Podemos encontrar exemplo desse poder suave da diplomacia esportiva, por exemplo, associada à "Equipe de Ouro" da Hungria, com Ferenc Puskás e Gyula Lóránt, que conquistou a medalha de ouro nos Jogos Olímpicos de Helsinque em 1952, no futebol, e foi finalista na Copa do Mundo de 1954, em Berna, ajudando a fomentar a infeliz revolução húngara, que criou problemas políticos e de relações públicas para a União Soviética. Esta teve que botar um ponto final nesse levante miliciano reacionário em 1956, de uma maneira nada soft. Foi tiro, porrada e bomba mesmo.

Mas o nosso próprio presidente e a direita aderiram ao futebol com esse objetivo. Claro que o timing foi ruim. Isso começa em 2014, justo o ano do 7x1. Mas isso até ajudou a sepultar mais rápido o PT, já que muitas obras da Copa foram um desastre e alguns estádios, elefantes brancos. Logo, se o momento não foi oportuno para os camisas amarelas, foi para engrossar o caldo das críticas contra a Dilma.

Já Bolsonaro tem uma relação oportunista com o futebol. A atuação dele se dá em duas frentes: uma simbólica e outra, prática.

Por exemplo: Bolsonaro e seus apoiadores usam a camisa da CBF como um símbolo do grupo a que pertencem. É a frente simbólica.

O elemento prático do Jair no futebol é a presença em jogos e conquistas de clubes, principalmente o Flamengo. Quem lembra que o excrementíssimo levou (o ex-ministro da Justiça) Sérgio Moro a um jogo do Flamengo em um momento difícil para ele, quando surgiram os vazamentos do site Intercept Brasil sobre conversas entre membros da Lava Jato? Pois é, parece que faz dez anos, mas não faz nem um.

Fora que, antes de se eleger, Bolsonaro ganhou os vestiários. Durante a campanha eleitoral de 2018, vários jogadores comemoraram gols fazendo aquele famoso gesto da "arminha", em alusão a Bolsonaro.

A ditadura militar se utilizou do sucesso daquela seleção exuberante de 70 para se fortalecer e ampliar sua propaganda política de legitimação interna. Mas isso é algo que ocorreu com todos os governos da história.

No cinema, a história de Hollywood funde-se com os projetos do governo da vez.

Não importa se republicano ou democrata, o que significa que não importa se é um governo de direita ou de extrema direita.

Se eles quiserem invadir algum país, Hollywood, espécie de segunda capital americana, vai dar uma força com filmes que retratam o heroísmo norte-americano e também a necessidade da invasão, porque, afinal, se a pessoa não parece o Guile do Street Fighter, com certeza já entra automaticamente no campo dos inimigos da América.

Se bem que, há quase 100 anos, os comunistas e nazistas, que às vezes até tinha essa aparência, também se encaixavam nessa descrição.

O escritor e ensaísta Gore Vidal, um dos meus autores favoritos, retrata isso magistralmente no livro Hollywood, de 1990. No estilo de romance histórico, o autor, que conheceu o poder de perto com um parente que foi senador, mostra a migração e confusão que existe na construção da verdade por meio do cinema, publicidade e mídia.

Ele foca principalmente na criação do Comitê da Informação Pública ("Committee on Public Information") em 1917. A função do Comitê era informar ao povo americano sobre os desenvolvimentos da guerra na Europa e, com este estatuto, lançou uma campanha persuasiva que compreendia a produção de propaganda patriótica, pôsteres, panfletos, jornais e filmes.

Vidal pretende, na verdade, enfatizar os comentários e reflexões das personagens sobre a retórica relacionada às ideias de democracia e liberdade, que sempre alimentaram a auto-imagem dos americanos e a imagem nacional projetada no estrangeiro. Isso, claro, vem servindo, muitas vezes, para justificar a influência político econômica americana em outros países e descer bala em cidadãos do Oriente Médio, Ásia e América Latina. A África eles deixaram pros Europeus, que façam lá o serviço sujo.

Através dessas políticas, com particular ênfase na censura e nos excessos do controverso "The Espionage Act", que levou à prisão todos aqueles que ousaram questionar as práticas governamentais, Vidal revela como a liberdade era limitada na América, questionando, consequentemente, o real significado e o exemplo internacional da democracia americana. Para além disso, através da descrição da recepção dos filmes pelos espectadores, Vidal chama a atenção dos seus leitores para a falta de sentido crítico do americano de classe média, demonstrando como os filmes podiam ser usados eficazmente na disseminação das medidas governamentais. Isso lembra algo ou alguém? Sim, o seu vizinho sem senso crítico que acredita em ozônio no toba já existia nos EUA também.

Claro que não existe um projeto estruturado no Brasil. Mas o poder suave não precisa ser oficial. É até melhor que não seja, porque as críticas tornam-se mais subjetivas.

Não que não exista intenção. Olavo de Carvalho pode ser maluco, mas leu o suficiente para se mirar nesses exemplos e criar o próprio projeto de soft power dele.

O ex-secretário de cultura, Roberto Alvim, também tinha uma intenção clara de criar toda uma indústria que reforçasse isso, por meio de filmes que se distanciassem do padrão atual do nosso cinema e resgatassem valores que eles acreditam retratar o do povo brasileiro. Você pode até achar ruim, mas infelizmente os valores do povo brasileiro estão muito mais próximos ao de uma novela ruim do SBT e da Record do que de um filme do Kleber Mendonça.

Claro que aí no meio existe muita hipocrisia. Mas existe uma forma de se projetar como a pessoa quer se ver retratada. O discurso vale mais que a prática, sempre. Mesma coisa nos EUA: não importa se eles estão todos com as veias entupidas de gordura de lanches do KFC e da Wendys. Eles querem se ver na TV como soldados fortões de dois metros, com o queixo quadrado e que passam fogo geral.

E o sertanejo, hoje, é a forma mais fácil de o Bolsonarismo reforçar a própria soft power. Com as lives, então, esse caminho ficou muito mais simples e efetivo, porque o registro já sai pronto e como propaganda para o governo. Bruno, Zezé, Gusttavo, Zé Neto e outros que se posicionaram a favor do Jair, não o fizeram à toa. Acredite: eu conheço esse meio e por lá o mais bonzinho troca a mãe por uma picape Amarok.

Para que gastar milhões em anúncios na Folha, que só jornalista lê? Um pedido carinhoso para o Gusttavo Lima dizer que a transposição do Rio São Francisco foi um acerto do Jair ecoa melhor na cabeça dos fãs dele do que qualquer peça da Secom. Mesmo que não seja verdade, já é. Nos grupos de zap, o que importa é a velocidade com que isso circula.

O sertanejo, que além de ser soft power do atual governo, foi também do Lula e do Collor. Sabe porquê?

É um abraço do agronegócio. Junta esse segmento econômico com o estilo musical e os rodeios e as vaquejadas e temos os quatro elementos da cultura sertaneja, versão rural dos quatro elementos do hip hop.

Sertanejo também é soft power de desejo e consumo. Com o cidadão passando a acreditar em meritocracia e que conseguirá o que quiser através dos próprios esforços, como a maioria dos cantores do estilo, que vieram da extrema pobreza. Eles se espelham na vida, na casa, na esposa, nos carros, para achar que, de fato, se foram até ali sem apoio do estado, é só se esforçar que você também vai rolar para eles vendendo camisa falsificada da Lacoste na OLX.

Claro que aqui nem vou entrar no debate de que a maioria dos shows sertanejos são contratados com verba pública, em aniversários de cidades e rodeios.

O "soft power" é isto, suave como os destilados luxuosos que o Gusttavo Lima consome nas lives, mas poderoso como o câncer, que só se revela décadas depois.

Covid, sertanejo e repressão: disco do Ratos de Porão previu o Brasil

Nós defendemos aqui que o Mano Brown radiografou muito bem o Brasil em dois discos: Sobrevivendo no Inferno e Chora Agora, Ri Depois.

Mas existe um disco, um pouco subestimado nessa árdua tarefa, que consegue hackear um país como o nosso: Brasil, do Ratos de Porão, de 1989.

Com 18 músicas que vão direto ao ponto, sem firula, João Gordo faz uma análise simples e direta do país e do brasileiro, desmascarando o fato de que nada de ruim aqui teria solução.

Três décadas depois, infelizmente ele está certo, até mais do que eu gostaria. Porque as letras do Ratos e do Racionais têm um privilégio sobre outras análises, que é evitar hipocrisia ou condescendência com o povo.

A política e os políticos são um problema, sim. Mas o povo não é só vítima disso. É, mas não só.

Ou, como diz um amigo meu: se por um lado o elitista dá vazão aos seus preconceitos e fobias julgando de maneira desinteligente e desonesta toda e qualquer pessoa que não possua instrução formal, o lado progressista (sobretudo de grandes cidades) erra ao idealizar e romantizar a figura do simplório.

É aí que acontece a exaltação de uma suposta humildade que, invariavelmente, não é um atributo da pessoa em questão. Para este perfil de brasileiro mitômano, falso humilde e genocida em potencial, com um sorriso aleatório na cara, o que falta para ser um Jair Bolsonaro é apenas uma oportunidade.

Isso não é menos importante na análise do mencionado disco. É parte fundamental do que vamos falar aqui.

Vamos começar pela capa, que é premonitória. Um pobre de direita usa camisa da seleção num campo de futebol, com imagens ao lado representando violência policial, demagogia religiosa, repressão militar e ladroagem generalizada. O que mudou nesse meio tempo é que religião, militarismo e trambique se fundiram intensamente na política.

O disco abre com Amazônia Nunca Mais, que é um tema recorrente na nossa história. Se hoje o Salles tenta passar a boiada, não foi ele quem estreou a prática de colocar boi para pastar lá ou o genocídio do povo originário. Claro que em alguns momentos foi menos pior, mas Belo Monte está aí como uma marca de como é possível ser prejudicial para a região, mesmo sendo de esquerda.

Já Aids, Pop e Repressão só precisaria ser atualizada. Agora, a trinca infernal é Covid, Sertanejo e Repressão. Os prazeres dessa vida viraram maldição. Antes, o sexo estava na ideia da letra. Hoje, o simples ato de respirar. Mas a figura do subversivo que vira religioso continua atual. Se então era o punk virando evangélico, hoje é principalmente o funkeiro e o headbanger fã da bancada da bíblia. Não há contrassenso. João Gordo sabe que a hipocrisia forma o caráter do brasileiro médio.

Em Retrocesso, mais uma vez Gordo dá uma de Mãe Dináh e diz que o DOI-Codi vai voltar no Brasil. Claro que não daria para prever que o formato seria diferente, com um ministro terrivelmente evangélico perseguindo gente antifascista, já que é pró-fascismo. Mas essa demanda reprimida sempre esteve por aí, porque perdemos a chance de mandar os integrantes da ditadura para a lata de lixo da história.

Outro problema crônico brasileiro é a síndrome de caso isolado. Toda vez que uma ação policial acaba em tragédia, esse termo costuma ser utilizado pelas ouvidorias das corporações, cujo único objetivo é proteger o patrimônio dos mais ricos. Lei do Silêncio é sobre isso. Deus não existe para quem mora na favela. Basta ver que a grana está nas mãos do Luciano, do Véio da Havan e do Justus. Se deus existisse, isso não seria permitido.

Gil Goma, sobre o repórter Gil Gomes, na época famoso no Aqui Agora, é atual também: afinal, o Datena e os repórteres e programas policiais locais continuam a fazer você acreditar que deve ficar constantemente com medo e temer pela sua vida. Isso não é casual. Isso gera um medo, uma imobilidade.

Plano Furado II, por outro lado, parece prever que o pequeno comerciante, o pequeno empresário, continuaria endossando projetos que o tornariam vítima na primeira oportunidade. Os Ribamares de 2020 não aprenderam nada. E para o Guedes, não valem qualquer esforço.

Criança sem Futuro é meio triste porque, goste-se ou não, vamos enfrentar um retrocesso no pouco que conquistamos em relação à saúde e alimentação dos mais pobres. Eu nem vou falar de saneamento, porque nada é mais revoltante que casa sem água, esgoto e molecada com parasitas na pança. A meritocracia que tanto pregam é impossível para quem já nasce com símbolo de retardatário na testa.

Porcos Sanguinários e Farsa Nacionalista batem de frente com a repressão militar, de novo. Filho de militar e alvo da ditadura na adolescência, Gordo sabe que com milico não tem papo. Você pode conhecer um PM legal, que é filiado ao PCB, mas ele não representa nada. A real é que são uns porcos sanguinários, sádicos e nojentos.

E a análise termina com Beber Até Morrer. Será que é solução? "O tédio lhe domina, a vida não dá tesão (...) Lute com a cara limpa, você não vai desistir".

Embora eu beba, existe um fator problemático no álcool e consumo de drogas como único refúgio. Eles se tornaram uma maneira de controle e subjugamento, além de gerar um alto índice de violência doméstica. Ok, se você só bebe e dorme, como eu. Mas nem sempre é assim.

Em 1910 o movimento zapatista já sabia disso e proibia o consumo de álcool e drogas na revolução que eles pretendiam realizar no México.

A embriaguez dos indígenas e dos mais pobres é o refúgio de uma miséria que se perpetua, apesar das riquezas naturais do nosso Estado.

Rodrigo Maia, o liberalismo e o bolsonarismo

Rodrigo Maia foi o entrevistado do Roda Viva na última segunda-feira, 3 de agosto, na TV Cultura. Exalando carisma, positividade e muito vigor, as falas do presidente funcionaram como um dramin no fim daquela noite fria. Só não caí em um sono profundo enquanto ele era sabatinado, porque apesar do tom monocórdio, por vezes ele falava absurdos tão grandes que fariam qualquer um despertar de um coma para xingar a TV e voltar a dormir.

Antes de dissecar a entrevista desse parlamentar, que entrou na atual legislatura por uma quantidade de votos insuficiente para eleger um síndico no Copan, é preciso dizer algo: embora ele acerte em algumas medidas na câmara e até tenha bom senso para conter algumas ideias estapafúrdias do Jair, Rodrigo é filiado ao DEM, que era o PFL e a Arena. Logo, representa uma elite empresarial, industrial, agrícola e os Faria Limers. Logo, pode não ser Bozo, mas é Paulo Guedes com toda certeza do mundo.

Dito isto, fica mais fácil avaliar e entender as nuances desta entrevista que esclarece algumas dúvidas nossas e nos faz não só imaginar que estamos, mas ter certeza que sim, estamos completamente perdidos enquanto a configuração do governo for a trinca Jair, Alcolumbre e Maia.

Isso fica explícito quando Rodrigo explica os motivos pelos quais ele não tem levado adiante nenhum dos 1689 pedidos de impeachment contra o excrementíssimo presidente. Na visão do demista, não há nenhum crime cometido pelo Jair e, por isso, não existe chance de um impedimento do mandato entrar na pauta. Não agora.

Mas a emenda sobre o caso saiu melhor que o soneto. Maia, por outro lado, acredita que as inexistentes pedaladas fiscais de Dilma justificaram, sim, o afastamento da petista do cargo em 2016. Deixa eu fazer uma conta rápida aqui, embora seja quase analfabeto em matemática: suposta pedalada = zero mortes. Negligência na pandemia: 100 mil mortes e aumentando. É, realmente eu devo ser muito ruim na arte de fazer contas, pois passei minha vida toda pensando que 100 mil fosse mais que zero. Porém, nunca é tarde para aprender.

Sério: esse posicionamento, mesmo depois de o Temer vir a público no mesmo Roda Viva e confirmar o golpe, reforça o que sempre dissemos sobre o impeachment: não passou de uma farsa, com Mandetta segurando plaquinha "tchau, querida", Bolsonaro elogiando Ustra, Wlad Costa tatuando o nome do Temer, Aécio contando piadinha para a Dilma, entre outras palhaçadas.

Aliás, Rodrigo Maia estreou uma nova mentira para falar que não votou no Bolsonaro: em vez de dizer que votou no Amoedo, diz que queria mesmo era o Ciro. Isso, além de uma mentira deslavada, significa que ele também quer se afastar do

PSDB, hoje na mira de investigações e com a imagem arranhada. Porque, na época, o DEM estava era na coligação do Alckmin. Eu sei, pega mal dizer que apoiou candidato cheio de grana que teve quase o mesmo tanto de voto que o Daciolo, mas não precisa exagerar na mentira.

Além disso, Maia deixa claro que não quer ser presidente. Os motivos? Ele não ri muito e não é carismático. Bom, vou ter que avisar o Helder para desistir de concorrer contra o Jair em 2022, então.

Apesar da boa autocrítica, afinal, ele realmente consegue algo que o Moro também alcança, que é o carisma negativo. Mostra que vai endossar candidaturas que podem até ser pior que a dele, como as de Mandetta, Huck e Dória, as quais afirma serem candidaturas de centro, afastadas do radicalismo do Jair e suposto radicalismo do PT.

Mandetta, nem precisamos dizer, está naquela fase perigosa em que o artista emplaca um hit, começa a ser bajulado, mas em dois anos e meio está vendendo o set de pedais e os instrumentos na OLX para comprar arroz, feijão e crack.

Huck é mais um desejo que uma candidatura sólida. E Dória vai precisar de uma vacina que funcione contra a Covid para ter um trunfo eleitoral em 2022. Do contrário, vai ter que voltar a viver nos Jardins e aturar o perturbado do Kogos, fazendo oposição a ele também no bairro.

Enquanto isso não acontece, Maia vai passando a boiada de forma suave ao apoiar a agenda de Guedes quase que integralmente. Porque, se por um lado não é um fiscal de cu – o que neste momento já é um avanço e tanto – é um porta-voz da Fiesp e da Bovespa. E isso, para quem como nós vive do trabalho diário, não tem nada de positivo.

Partidos como DEM, PSDB, Novo, PP, PL nunca pensaram na soberania nacional. Por isso, ficarem surpresos com as falas do Maia é também passar atestado de inocentes. E política não combina com inocência.

A agenda do desmonte, das reformas, da manutenção do teto de gastos, da preservação do meio ambiente (coisas importantes só por causa dos investidores), deixa claro que Maia pode não ser o presidente da câmara terrivelmente reacionário de que o Jair gostaria, mas não chega a constituir um grande empecilho, principalmente nas pautas econômicas.

Maia é uma pessoa hipócrita, de forma geral. Passa o dia "reafirmando a democracia", falando em construir pontes, como se fosse um empreiteiro, e admite ter votado em um sujeito que, por toda a vida, defendeu o AI-5 e os porões da ditadura no segundo turno, em 2018. Ele precisa decidir de que lado está. Ah, bom, ele é da Arena, do PFL, do DEM. É fácil saber qual o lado.

Mas ao menos foi bem sincero sobre o nosso futuro. Se por um lado tem gente que pratica ioga e ouve Bon Iver achando que vai viver num novo normal melhor, Rodrigo ao menos não mente sobre isso: "O Brasil não vai crescer, nossa economia vai continuar patinando, o desemprego vai crescer mais que apenas o impacto da pandemia. Seria importante que o governo mudasse", disse ele.

Eu nem quero saber o que significa mudar aqui. Vindo dele, talvez seja aprofundar o liberalismo. Mas em ato falho ele ao menos reconhece que essa agenda do Guedes não funciona. Não para o povo, ao menos. E eu não sei se isso não é exatamente o objetivo deles.

Thammy Miranda x Silas Malafaia

Todo ano a história se repete: chega o Dia dos Pais e alguma empresa de cosméticos causa polêmica ao escalar um casal gay ou uma pessoa trans em suas propagandas temáticas.

Isso escancara vários problemas. O principal é a falta de criatividade para presentear os pais: sério mesmo que vocês acreditam que nós só queremos ganhar perfumes? Neste ano o Bezzi pediu um funko do Bruce Dickinson e eu, um jogo de hóquei no gelo pro Xbox. Vamos variar. Meia, cueca e camisa pólo também não queremos.

Mas o segundo e mais sério problema é que é nessa época que os fiscais de cu saem de suas tocas para destilar todo ódio contra pessoas que não integram casais héteros.

Dessa vez, sobrou para o Thammy Miranda, filho da Gretchen. E a história tem todos os elementos de uma típica treta de internet: informações falsas, histerias, ranger de dentes, gente que fica emocionada demais e acaba tendo um taquicardia, porque também estava usando cloroquina profilaticamente. Enfim, os ânimos se exaltam.

Primeiro é preciso esclarecer uma coisa: ele nem vai aparecer em peça publicitária alguma da marca. Só faria um post patrocinado, assim como Rafael Zulu, o parça mais bonito do Neymar, e Babu Santana. Dito isso, é preciso reforçar aqui que existe uma galera acreditando que quem pensa ou age de forma diferente não tem nem o direito de ganhar uma grana honestamente.

Isso seria como eu criticar o Alexandre Garcia por ganhar muito dinheiro para trabalhar na CNN, falando só "terraplanismos políticos". Tá bom, isso é realmente ofensivo. Desculpa. Não consegui traçar um paralelo honesto, porque na minha cabeça só veio gente como ele e Caio Coppolla ganhando muita grana. E isso é de fato complicado.

Voltando a Thammy, é irônico, para não dizer escroto, como essas pessoas que ficaram tão ofendidas com a presença dela na campanha são, geralmente, pais ausentes, devedores de pensão, gente que paga 200 contos para a ex porque acha que ela gasta essa fortuna com macho ou simplesmente com homens que usam os filhos como sparring de boxe no cotidiano.

Não é exagero. O Brasil, vocês sabem, é o país em que ter um pai em casa pode ser bem pior do que não ter. E muitas famílias não têm mesmo. Dentro dos vários privilégios que alguns acumulam, ter uma família funcional é um deles. Segundo a PNAD, esse arranjo familiar já é minoritário hoje em dia. Apenas 42% das famílias são compostos por pai, mãe e filhos. Os lares brasileiros, cada vez mais, estão sendo chefiados por mulheres, mesmo que o General Mourão, que deus o tenha, acredite que isso seja ruim para o caráter das pessoas e mesmo que os maiores mau caracteres do Brasil, que estão no governo dele, tenham crescido em lares com configurações tradicionais.

Cabe ressaltar também que as famílias chefiadas por mulheres não são exclusivamente aquelas nas quais não há a presença masculina: em 34% delas, havia a presença de um cônjuge. Ou seja: podem estender o papo machista o quanto quiserem, mas no novo normal do país, essa família tradicional que vocês almejam nem existe. E muitos machos que bancam o alfa por aí, na verdade estão sendo bancados pelas mulheres enquanto ficam no zap defendendo o Luciano Hang e o Jair. Se você se encaixa nesse perfil e não é assim, a crítica não é sobre você.

Mas é claro que, para gente como Silas Malafaia, reforçar esse discurso tem um viés estratégico. Essas pessoas fingem que o Brasil de comercial de margarina existe, e o gado delas finge que acredita.

Mas a questão é que promover o boicote à Natura deu resultado inverso. Enquanto o véio biruta, que deve se perfumar com alfazema, pedia para que os crentes não comprassem mais a marca – ignorando que alguns até vivam da venda de seus produtos –, a Natura teve ótimo desempenho na Bolsa no mesmo dia em que a polêmica bombou nas redes.

E mais: em grupos de WhatsApp em que estamos infiltrados, as montagens sobre o caso bombaram mais que qualquer outro assunto envolvendo o governo, o que prova que a questão de gênero é muito sensível para o brasileiro de direita.

É aquela velha história: broderagem existe, procura por programas com trans fora do casamento, também. Mas na sociedade precisa fingir que é o Dominic Toretto (que, vamos combinar, tinha mó jeito que fazia uma broderagm no fim daqueles rachas do Velozes e Furiosos).

Nos grupos, os participantes compartilhavam e criavam alucinadamente memes e montagens dizendo que colocar

Thammy num comercial do Dia dos Pais era a mesma coisa que chamar o Nardoni para propaganda do Dia das Crianças, envolvendo a Pabllo, Xuxa e Fátima Bernardes, personagens coringas desse tipo de tema. Não é à toa que as falas da Damares fazem tanto sucesso dentro desses espaços.

Agora, pergunta se essa galera estava conversando sobre as 6 milhões de crianças que nem nome do pai têm na certidão, sobre os quase 60 milhões de lares chefiados por mulheres ou as cerca de 250 crianças agredidas diariamente em casa?

Isso jamais, porque faz parte do cotidiano da família tradicional. Mas fazer meme desonesto sobre a Thammy, ok, né? Essa obsessão também explica porque o Brasil é um dos países que mais consome pornografia trans e mais mata trans. A hipocrisia misturada com violência é traço da nossa personalidade reacionária de gogó.

Thammy Miranda tem lá suas frases e atuações problemáticas como pessoa pública e política, filiada a partidos hediondos. Mas jamais deixaremos de defender alguém desse gabinete do ódio ambulante que o Brasil virou.

O cancelamento destruirá a esquerda?

A onda de cancelamentos na esquerda está a todo vapor. Muita gente tretando, enquanto o governo passa a boiada.

Com isso eu não estou me colocando como um cara deboísta, antitreta. Pelo contrário: eu sou pró treta, inclusive chegando às vias de fato, se for necessário.

E acho ok apontar eventuais erros dos aliados. Claro. Mas está rolando uma certa pulsão de morte que eu realmente não tenho ideia se vai ser positiva para a esquerda.

Djamila, Freixo e Paola Carrossella passaram por esse processo nos últimos dias. Os motivos variam. Mas o debate gera muito barulho nas redes sociais. E só nas redes sociais mesmo. Fui aqui no açougue e perguntei para uma mulher sobre frango 3D e ela me mandou tomar no cu. E quando falei sobre a Djamila e o Freixo no ponto de busão, o cara me deu um cigarro solto pensando que eu era um daqueles doidinhos de bairro, sabe?

Falando sério mesmo: o assunto é delicado, mas o Emicida conseguiu resumir parte desse processo: muitas vezes, não é cancelamento. É apenas o público pedindo para que o comunicador seja responsabilizado pelo que disse.

Isso se aplica principalmente a umas discussões recentes, quando o casal Nilce e Leon deram opiniões nas redes que foram consideradas equivocadas por grande parte dos seguidores. Em vez de escutar o que eles tinham a dizer, simplesmente mantiveram o posicionamento passivo-agressivo até o fim.

O mesmo vale para o Felipe Castanhari, que já comparou nazismo ao comunismo em vídeo e não se retratou. E quem cobra, claro, é sempre taxado de radical, sectário, alguém que não sabe dialogar. Fica aquela impressão de que um sujeito com milhões de seguidores nunca pode estar errado, é o anjo perfeito, o xodó de Jesus.

Nisso, eu tiro meu chapéu pro Felipe Neto. O cara já reconheceu diversas vezes como o passado dele foi um erro. Essa hombridade, queira ou não, é muito difícil de ser atingida até mesmo entre anônimos. Só ver quantas vezes alguém assumiu para você que estava errado. É muito raro.

Mas há casos em que sinceramente rola um exagero, um objetivo de autodestruição da esquerda.

A recente polêmica com a chef Paola Carosella é um caso clássico desse tipo de abordagem. Ao criticar os alimentos ultraprocessados, frango 3D e como esse tipo de comida contribui para a obesidade da população, ela foi simplesmente acusada de gordofobia e recebeu mensagens dizendo que comida não tem que ser saborosa e sim nutrir. Olha, sinceramente, eu vomitei só de ler isso.

O tema, aliás, é sempre espinhoso, porque é quase impossível abordar os problemas de saúde causados pela obesidade sem pisar em ovos ou ouvir que muitos magros são menos saudáveis e nem por isso são criticados. Claro que sim. Mas existe uma distância entre discutir sobre saúde e padrões de beleza. E é isso que ainda não ficou muito claro nas redes, o que acaba gerando umas tretas que nem deveriam ter existido. Principalmente num momento em que um vírus circula por aí ameaçando todo mundo, como é o caso do nosso presidente.

Mas enfim, Paola veio a público e explicou que existe uma linha tênue entre a aceitação do corpo e a romantização da obesidade. Podem cancelar a gente. Mas não contem com esse canal para apoiar frango 3D, acabar com o conceito de comida enquanto cultura. Nessa, estamos com ela e não vamos abrir mão. Já o caso da Djamila entra na seara de a pessoa não saber ser criticada. Importante ativista e acadêmica brasileira, aceitou fazer propaganda de um app de taxi justamente em um momento em que a precarização é discutida e combatida no mundo todo.

Não vou entrar no mérito sobre como cada um ganha sua grana, até porque eu faria um comercial da 99, desde que eles permitissem que eu falasse que o APP vai explorar a gente como o Uber, mas nesse aqui ao menos o motorista ganha um frasco de álcool gel. Rola? Se sim, passa 20 mil pra cá, irmão.

Mas nesse caso, é aquilo: Djamila poderia continuar a vida tranquilamente sem essa polêmica e sem essa grana lá em Paris. Tem dinheiro que é mais estorvo do que solução. Esse é aquele famoso tipo de projeto em que você se envolve e se queima. Todo mundo passa por isso uma vez na vida.

Quem acabou se queimando junto no rolê foi o Freixo, que fez uma live com ela e defendeu o posicionamento de Djamila, sendo rebatido depois pela Leticia Parcks.

Por mais que a gente entenda e aceite que existam diversos segmentos na esquerda, passar pano para apps de escravização suave e moderna é algo inaceitável, até mesmo naquela esquerda mais ursinhos carinhosos, tipo o namorado de Fátima Bernardes.

Agora, vamos ser sinceros. Olha bem pro país que nós temos hoje, os governadores, os integrantes da câmara (Sargento Pastor Isidoro, Daniel Silveira, Kim Kataguiri, Joice Hasselman, Bibi Nunes...), e responda: por maiores que sejam suas reservas com um parlamentar de esquerda que não é tão radical quanto você desejaria, ele é o inimigo a ser combatido?

Responda com sinceridade: em país de Alexandre Garcia, Caio Coppola, Ernesto Lacombe a Djamila e Paola são os maiores inimigos da nação?

Cobrar ok. Mas vocês acham mesmo que destruir o pouco que construímos na esquerda vai ajudar a gente no futuro? Respondo agora: não.

O momento decisivo e estratégico está sendo utilizado pra lavação de roupa suja em público. Não existe nenhuma assertividade ou pragmatismo nisso. Parece que a esquerda está feliz demais em só exercer retórica aprendida em literatura gringa e DCE. Já abandonou o projeto de construção de um país que está nas mãos dos milicos, milicianos e neopentecs. Voltemos à resposta do Emicida, que usou um tom propositivo, positivo e humanista, mas incisivo e inclusivo no debate.

Ser cancelado pode ser fruto de exagero ou muitas vezes de ato desnecessário, mas porque quem foi cancelado de forma correta não tenta entender o que está rolando quase nunca? E porque quem cancelou errado também não assume que já não tem mais o que fazer na quarentena, a não ser usar rede social como tribunal do crime digital?

A crítica é válida. Sempre. Mas o cancelamento é a antipolítica da esquerda, desmobilizadora, moralista. Puro narcisismo de rede social.

Bilionários lucraram na pandemia

Mesmo em meio a uma das mais graves crises econômicas mundiais da história recente, os 42 bilionários brasileiros viram o conjunto de suas fortunas crescer US$ 34 bilhões nos meses da pandemia. De acordo com a ONG Oxfam, com base em dados do ranking de bilionários da revista "Forbes", esse é o desempenho vencedor dos nossos ultra-ricos.

Quer ficar ainda mais puto? Então pense que 80 milhões de brasileiros tiveram que se humilhar embaixo do sol, enfrentar aquelas filas hediondas na caixa e baixar aquele app maldito para conseguir 600 reais. Ao todo, o povo inteiro ganhou o mesmo que 34 pessoas ultra-ricas, com o dólar cotado a 5 e uns quebrados.

É revoltante? Sim. Mas também sinal de que o capitalismo deu muito certo. Você ouviu bem. Deu certo. O objetivo sempre foi esse mesmo. A gente é que vacila ao pensar que o sistema ultraliberal do mundo tem o objetivo de diminuir as desigualdades.

No entanto, aquele seu amigo que estava lutando para proteger as fortunas dos Luciano Hang, Lemman e do dono da Amil (que não pode mais lucrar tanto com acidentes de carro em época de home office), já pode dormir tranquilo. Acabou a aflição do fã de bilionário. Finalmente, eles terão um problema a menos para se preocupar na pandemia, sabendo que o Véio da Havan continua a comprar muitos helicópteros e aviões.

***

E não é só no Brasil. Países latino-americanos e do Caribe impulsionam esse crescimento. A todo, 73 bilionários aumentaram suas fortunas em US$ 48,2 bilhões, entre março e junho, segundo a Oxfam. A riqueza, dessa maneira, cresce 17% desde meados de março. Sim, 17%. Não inventei esse número.

Esses US$ 48,2 bilhões equivalem a 38% do total dos pacotes de estímulo que o conjunto de governos implementou e a nove vezes a intervenção do Fundo Monetário Internacional (FMI), com empréstimos de urgência à região até o presente momento. Sim, 4 em cada 6 medidas para a região foram parar na mão de bilionários na pandemia.

Além disso, surgiram 8 novos bilionários na região, os quais devem ter seguido direitinho as dicas da Bettina, do Primo Rico e do Erico Rocha. Agora colhem o que plantaram.

Os dados fazem parte do relatório "Quem Paga a Conta? - Taxar a Riqueza para Enfrentar a Crise da Covid-19 na América Latina e Caribe", lançado pela ONG nesta segunda-feira (27). A pergunta do título é autoexplicativa. Quem paga a conta é você mesmo. E taxar riquezas seria muito bom, mas talvez em outra ocasião. Porque o Afif, que hoje é assessor do Guedes, disse que não resolve.

O que deve resolver é a nova medida do amigo dele, que visa criar o maior imposto sobre consumo do mundo e passar a conta para os mais pobres. E vai ter quem o defenda. Depois do "dólar alto é bom" e "PIB privado" eu não duvido de mais nada dos liberais.

Lemann – R$ 54 bi – Inbev

Vamos ver quem são e como pensam esses bilionários brasileiros. Vou começar pelo Jorge Paulo Lemann, um dos grandes apoiadores do Acredito, movimento que gerou Tabata e Felipe Rigoni, e que, nas palavras de Ciro Gomes, é um partido clandestino, pois dribla a legislação que proíbe financiamento empresarial de campanhas.

Segundo Lemann, a pandemia gera mais oportunidades para ampliar os negócios. Claro que sempre haverá oportunidades de arriscar quando você tem 1 bilhão de reais para te dar backup caso algo de errado. Qual é a oportunidade digital da diarista? Trabalhar online no app? Lemann não está errado. O único problema é que sua filosofia não significa nada para 99,99% da população.

André Esteves – BTG – US$ 4,7 bi

Entre os maiores bilionários brasileiros está também André Esteves, da BTG.

O banco, fundado por Paulo Guedes em 1980, tem se dado bem na pandemia.

Assim como a empresa de Lemmann, o BTG tem aproveitado a crise para encontrar oportunidades.

No começo de julho, o Banco do Brasil anunciou a venda de carteiras de crédito, a maioria em perdas, a um fundo do BTG Pactual. Foi a primeira cessão de carteira do BB a um banco que não pertence ao seu conglomerado. E olha só: justo pro BTG. Esse governo realmente é repleto de coincidências.

A carteira cedida tem valor contábil de R$ 2,9 bilhões. Já na minha carteira tem o mesmo valor, mas em dívidas.

Luciano Hang – Havan – US$ 3,6 bi

Crítico da influência do Estado na economia, Luciano Hang, 57 anos, recorreu às ferramentas de financiamento governamental para montar o que hoje é considerado por especialistas um império do varejo, o qual criou o conceito de loja de 1,99 com chão de granito.

Com 147 lojas espalhadas em 18 estados do país, o Véio da Havan, como é conhecido, conseguiu, entre 1993 e 2014, 55 empréstimos junto ao Banco Nacional de Desenvolvimento Econômico e Social (BNDES), que totalizam, em valores atualizados pelo Índice de Preços ao Consumidor Amplo (IPCA), mais de R$ 72 milhões.

Além das lojas, o Louro José do Bolsonaro tem seis aeronaves. E você com dificuldade de conseguir empréstimo para comprar um prisma para rodar no Uber.

***

Como eles conseguiram essas fortunas? Claro que com muito esforço. Em alguns casos pode haver fortuna herdada pela família, sonegação, evasão de divisas, exploração da mão de obra e benefícios estatais também. Acontece umas 90% das vezes.

Vamos deixar aqui uma dica de leitura para você entender como são desenvolvidas as grandes fortunas no mundo. A começar pelo Jeff Bezos, da Amazon, que é um trilionário. Muito melhor que esses pobretões do Lemman e do Hang.

No livro *Hired: Six months undercover in low-wage Britain* (em tradução livre para o português, "Contratado: seis meses disfarçado na Inglaterra de baixos salários), o jornalista inglês James Bloodworth mostra as situações lamentáveis de trabalho nos galpões da Amazon, na Inglaterra. Para atingir as metas, muita gente nem vai ao banheiro, mija em garrafas mesmo, o que deixa o ar insuportável.

O frete grátis e rápido tem um custo para alguém. É por isso que não dá para deixar essas questões de lado ou pro futuro e discutir a responsabilidade dos ricaços nesses problemas.

Reeleição de Bolsonaro e a Terra Plana

Não é preciso dizer muito mais sobre o problema que é viver em bolhas. Isso pode afetar a percepção de mundo de qualquer pessoa, além de levar a acreditar que aquilo que desejamos, acreditamos e vivenciamos é a realidade. Veja o caso da nova pesquisa de popularidade do presidente, que mostra que ele se reelegeria em qualquer cenário em 2022 e ainda prova que a sua popularidade aumentou, principalmente entre os eleitores de baixa renda.

Admita: na sua bolha de tocadores de ganzá, malabares e músicos falidos isso não parecia a verdade, certo?

Por lá, o Boulos corre por fora, o Dino é um nome viável e a Manuela tem boas chances. Isso sem citar Ciro, Haddad e Lula, que de fato poderiam beliscar um segundo turno daqui a dois anos.

A questão é que a realidade é dura e nem mesmo a pandemia foi capaz de abalar o bolsonarismo como a gente imaginou.

Essa resiliência do presidente tem alguns fatores que vou explicar aqui, fazendo uma comparação com as pessoas que continuam a acreditar em Terra Plana. Sabe por quê? Bom, porque existe um documentário na Netflix sobre o tema, mostrando homens adultos que tiveram provas científicas de que a Terra não é plana mas, mesmo assim, não desembarcam do rolê.

Segundo especialistas ouvidos no filme, isso tem motivo: o custo de admitir que estava errado e o rompimento com um grupo que o acolheu é muito alto quando você é adulto.

Nesse segmento de terraplanismo, a maioria dos componentes é homem, adulto, tem algum problema de sociabilidade ou enfrentou traumas familiares ou profissionais. Mais do que crer mesmo que a terra não é redonda, eles querem estar certos de ter gente que concorde com eles.

É, mais do que tudo, uma crise dos 40 anos, como ocorre em boa parte do bolsonarismo. Isso talvez prove que a espécie não foi feita para viver tanto assim.

Bolsonarismo ou terraplanismo são baratos para entrar, mas caros para sair, quando você está no modo hard.

Então os movimentos viram uma questão de identidade. A pessoa pode se definir a partir daquela luta: se ela quer sair para beber Skol e comer camarão, ela vai reiterar que a China tem um plano para fazer com que o mundo todo fique em casa pedindo yakissoba por telefone.

E o custo aumenta cada vez mais, mas há graduações. Não existem só o bolsonarismo e o antibolsonarismo. Refiro-me ao bolsonarismo natural do brasileiro, que faz com que muita gente entenda, concorde e se identifique com o que ele fala e faz.

Tem aquele bolsonarismo protetor: o cara tá fazendo o que pode, você quer o quê, o PT deixou o Brasil quebrado.

Mas tem um ponto mais complicado de transpor: parte dos evangélicos considera sim o Jair como o Messias enviado de Deus para ser nosso líder. E a história do Jair ajuda também:

levou facada, tomou bicada de ema, pegou covid, é perseguido pela mídia. Psicologicamente isso cria um arco do herói artificial para o cara, mas é um arco de herói.

A vida é assim: o Toninho do Sepultura não largou o fã clube nem quando os Cavaleras saíram. A Bia em uma semana vai fazer algum beija-mão pro Bolsonaro. O dono de academia que ia bater em juiz está com Covid, e não vai aprender nada internado, nem se for amputado. O coronel Tadeu também está com Covid, e ainda faz propaganda do kit coronga com um respirador na cara. Pro cracudo, o vexame, a desgraça e a degradação servem de reforço positivo à droga.

Outro ponto que não pode ser descartado nessa manutenção da popularidade do Bolsonaro: ele tem se aproveitado das políticas da oposição na Câmara e no Senado.

Veja: quando o Haddad foi ao Roda Viva, perguntaram-lhe se o Bolsonaro não usaria o auxílio emergencial para fazer campanha. O auxílio de 600 reais foi vitória conseguida pelos partidos de esquerda, já que o Guedes e o Bolsonaro queriam dar 200, na melhor das hipóteses, ou um isopor do Rappi e uma barra forte e botar a galera para fazer entrega.

Mas ele age nas redes e canais oficiais como se fosse vitória dele. Mesma coisa com o Fundeb. Embora a proposta do governo fosse outra, ele vai surfar na onda do que foi aprovado. E dará certo, porque nossos vizinhos não sabem quem votou contra ou a favor, quem colocou empecilho na aprovação e nem quais os parlamentares que estão torcendo para que a gente morra logo de covid, para desafogar a previdência.

Não sabem. E Bolsonaro se aproveita disso sem dó e sem medo. E vai passando. Porque tem muita entrada no Brasil profundo, como sempre dissemos aqui.

Nós podemos até nem ser os melhores analistas políticos, mas temos etnografia do deep brazil. E quando falamos que grupo de animal silvestre, arma com numeração raspada, caminhoneiro e carro só para rodar fazem linha auxiliar pro Bolsonarismo, não é exagero. Há uma matéria da Rosana Pinheiro Machado no Intercept desta semana que prova que o lance está mais enraizado do que a gente pensa.

A esquerda não tem nem como combater isso a curto prazo. E quando eu digo que o Bolsonaro representa e entende melhor o brasileiro, tem quem fique bravo, mas é a real. Porque mito, mito mesmo na política, foi o Lula, que foi respeitado mundialmente. O Bolsonaro é apoiado porque representa a profundidade da alma nacional, do homem que faz merda, se vitimiza, chora, pede perdão, volta pra casa, começa a causar, beber, bater na mulher, nos filhos, aí apanha do cunhado e fica pianinho por dois meses, até voltar a ser um estorvo de novo.

A experiência da extrema direita aponta para a formação de uma rede em que as pessoas se sentem incluídas no processo político.

É aí que entra de novo o paralelo com o terraplanismo. Um monte de lumpenproletariado está experimentando pela primeira vez como é poder ter voz, ameaçar o STF e abalar as estruturas da política.

Japonês da Federal: mais um ídolo da direita que se deu mal

Quando meu filho perguntar como pode ofender os amigos no futuro, vou responder sem pensar duas vezes: acuse o pai dele de ter comprado o livro do japonês da federal. Não tem erro. Claro que eu não espero que ninguém assuma hoje que foi fã ou apoiou esse agente da polícia federal. Afinal, eu sei muito bem como funciona o brasileiro de direita: apoia o novo salvador da pátria por seis meses, aí a pessoa é presa. Então ele vai ter que começar a defender outro pilantra em breve. Uma história repetitiva e cíclica da história nacional, que chega a ser cansativa.

E com o japonês da federal não podia ser muito diferente. O ex-PF acaba de ser condenado por facilitação de contrabando pela fronteira Brasil-Paraguai, em Foz do Iguaçu. A condenação visa perda do cargo e pagamento de multa de R$ 200 mil. E é um tipo de crime que vem com o selo Jair Bolsonaro de qualidade. Só seria mais estereotipado se tivesse ocorrido entre Ponta Porã e Pedro Juan Caballero. Mas assim já tá suficientemente caricato.

Resgatar esse personagem de alguns verões passados é manter viva a ideia de que o tonto antiesquerda caiu em qualquer golpe. Qualquer um. O japa da federal era um muito ruim até para esse povo que vai em micareta política. Veja, ele era apenas um integrante da PF que se destacou por conduzir à prisão muitas pessoas relativamente famosas da política, as quais foram investigadas e condenadas pela Lava Jato.

O empresário Marcelo Odebrecht, o ex-deputado Pedro Corrêa, o ex-tesoureiro do PT, João Vaccari Neto, entre outros alvos da operação foram presos na investigação que apurava desvios na Petrobrás. Estão entre aqueles que foram escoltados pelo "Japonês da Federal" ao cárcere da PF em Curitiba — origem e base da grande investigação.

Com a imagem muitas vezes atrelada às ações da Lava Jato, Ishii chegou a ser tema de um Conexão Repórter, entrevistado pelo Bial e a inspirar marchinhas e máscaras no Carnaval de 2016. "Ai meu Deus, me dei mal, bateu na minha porta o Japonês da Federal", diz a música.

Isso não seria motivo para ele se tornar famoso. Assim como também não havia motivo nenhum pro Hipster da Federal ter dado até entrevista na Fátima Bernardes e ter virado sex symbol por duas semanas. Mas você sabe como é: em país que elege Carteiro Reaça e Mamãe Falei, esses citados não terem virado prefeitos de alguma cidade pequena e só terem ficado na seara do meme e das hipocelebridades já está até bom demais.

A marchinha em sua homenagem é de 2016. Tem só 4 anos, mas envelheceu pior que o Allan dos Santos, que tem apenas 37.

Com a fama atingida por absolutamente nada além de fazer um trabalho que é pago com grana pública, ele aproveitou para lucrar um pouco mais, já que a venda de cigarro Eight e daquele uísque com retorgosto de ponte da amizade não eram o suficiente para pagar a boa vida do cara.

Para isso lançou um livro, que você pode encontrar no saldão de qualquer livraria, mais barato que um CD do MC Biel.

Na publicação, ele conta casos como o da falta de mira do ex-diretor da Petrobras, Nestor Cerveró, ao urinar na prisão. Ou seja: se não for mentira para zoar os olhos assimétricos do cara, ele nem percebeu que assumiu aqui que é o maior manja rola da PF.

No livro, ele narra a condenação que sofreu por contrabando, mantida pelo Superior Tribunal de Justiça (STJ) em 2016. Naquele ano, Ishii foi preso em uma sala da PF em Curitiba por causa da Operação Sucuri, que em 2003 revelou que ele e outros agentes teriam permitido a entrada de contrabando vindo do Paraguai no Brás.

Com a pena de 4 anos e 2 meses em regime semiaberto, voltou a trabalhar com tornozeleira eletrônica, o que lhe valeu para reduzir a pena. "Graças a Deus eu tinha a confiança da chefia, nem perdi o cargo de chefe de operações de custódia, porque todo mundo sabia que aquilo ocorreu por interesses de terceiros."

Claro. Nossos idosos são muito inocentes. Eles nunca sabem com o que estão se metendo. São sempre grandes alvos de conspirações. Muito triste mesmo essa perseguição aos tiozões brasileiros.

Mas quem pensa que o Japa pararia por aí na sua escalada ao sucesso, se engana. Sabendo que o brasileiro é capaz de votar no Bolsonaro e no Ratinho Jr., ele mesmo se filiou ao Patriotas para tentar uma boquinha na política. À época, disse que não se importava se o partido nanico era de esquerda ou direita, mas claro que o partido não só é de direita, como é de extrema direita. Mas isso é detalhe.

"O que importa mesmo é política social, tem que ver educação, saúde, segurança", disse ele à época. Sei, sei. Claro.

Ainda bem que não deu tempo para que realizasse esse projeto. Mas deu tempo para ele virar a segunda opção de quem não consegue um cargo na política, que é ser coach. Sim, teve quem pagasse para ver as palestras do Japonês da Federal, o que eu considero até mais grave do que ler o livro, que pode ter lá suas passagens engraçadas – ou ser usado para escorar sofá, como a Sara Winter faz com os títulos lançados pelo Alexandre de Moraes.

Para cada palestra ou consultoria, ele cobrava 20 mil reais. Sinceramente, o Paraguai, amigo do meu pai, especializado em trazer videocassete do país vizinho nos anos 90, deve ensinar as mesmas coisas bem mais em conta. E ainda é uma pessoa menos desagradável.

Ivanka Trump, Amoedo e a piada da meritocracia

Sempre que uma crise se agrava, algum liberal ou reacionário surge das profundezas de alguma filial do partido Novo ou do Rotary para dizer que este é o melhor momento, ideal para empreender, se reinventar ou lucrar.

Tudo isso vem embalado na ideia de que a meritocracia é algo realmente verdadeiro e de que, se o mundo lhe deu uma pandemia, você deve aproveitar para vender máscaras com logotipo da Mulher Maravilha ou de alguma banda indefensável.

Só não aproveita essa oportunidade quem é acomodado, certo?

Hmm, sim. Afinal, enquanto os pouco esforçados brasileiros ficam chorando para garantir mais alguns meses de auxílio emergencial, o que a Ivanka Trump faz no Twitter? Vende feijão. Sem pudor nenhum. E não só ela. O Waldemiro Santiago também fez o mesmo, só o que o dele era melhor, porque ainda curava o coronga. Tá vendo: dei dois exemplos de superação e reinvenção rapidamente.

Aliás, falando nisso, foi a própria Ivanka quem sugeriu que os americanos aproveitassem o momento ruim para fazer um curso de dois ou quatro anos e se reinventarem, neste momento em que só 50 milhões estão desempregados ou subempregados por lá.

Claro que ela não calculou que esse período pode ser tempo demais para alguém de classe média pegar toda a grana da terceira hipoteca da casa e investir numa nova profissão. E também ficar sem alimentar as crianças da casa. Mas não podemos cobrar dela conhecimento do que é a realidade fora das mansões do pai e além dos muros da Casa Branca. Somos tudo de ruim que você possa imaginar, menos injustos.

A questão é que esse discurso dela, que atualiza aquela célebre frase da Maria Antonieta, segundo a qual se os pobres não têm pão para comer, que comam brioches, é repetido de várias formas diferentes pelos liberais brasileiros. Muda a forma, mas o conteúdo é sempre o mesmo.

Quantas vezes você não ouviu que basta querer que sua vida vai melhorar? Ou basta se esforçar, acordar cedo e ver live do Primo Rico que você também vai ficar endinheirado como ele? Ou ainda: que a meritocracia é um sistema justo e que ajuda os mais esforçados?

Ok, eu sei que até gente de esquerda cai nesse discurso ou às vezes ouve-o de um pai que a criou à base de rolo de relógio ou desmanche de peças roubadas.

Mas a real é que, além de esse termo ser uma piada criada por um sociólogo do partido trabalhista inglês, nada ou pouco tem de aplicável à realidade, ainda mais num país desigual como o nosso, em que o rico larga com dez voltas de vantagem para a corrida e o pobre, além de não ter tênis para competir, ainda tem que desviar das balas da polícia e tentar chegar até o fim com duas bolachas água e sal no estômago e um café preto. Na falta de cream cracker, ele come brioches também.

Mas voltando ao termo meritocracia: pouca gente sabe que é uma sátira criada por Michael Young em 1958.

No livro The Rise of Meritocracy, Young mostrava que isso é uma espécie de auto-ilusão, em que as pessoas ricas se convenciam de que a sua riqueza era evidência da sua superioridade moral. A piada é que a sátira virou dogma de institutos liberais no mundo todo, não só aqui. Quer outra piada?

No Brasil rico acaba sendo preso ou falindo no fim da história.

Mas o poder de convencimento é grande. Hoje vivemos a meritocracia, através da qual nos convenceram de que aquilo que alcançamos depende apenas do nosso trabalho árduo e perseverança.

Se você não consegue vencer, a culpa é sua. Não se esforçou o suficiente. E não venha chorar pro estado, esperando que ele o vá sustentar. Dê seus pulos. Se o Ricardo Eletro conseguiu vencer vendendo mexericas, você também consegue.

Aliás, é com a adoção dessa piada de Young que surge o conceito de self made man. O próprio Trump fingiu muito que era isso. Quem não lembra que nos anos 80 ele vendia a história de que começou do nada, apenas pegando um empréstimo de um milhão do pai, que já era referência no ramo de construção civil? Dinheiro que, em cifras atuais, daria uns 15 milhões? Muito self made mesmo. Parece o Fiuk, que chegou a ser cantor e ator bem sucedido pelo talento e não pelos bons contatos do pai.

Mas a real é que essa galera tenta, a todo custo, fazer muita gente acreditar que vai competir em pé de igualdade só porque algumas raríssimas exceções existem. Isso nunca leva em conta que quase todos os bem sucedidos do mundo, que não são artistas ou atletas, têm algo em comum: CEPs melhores que aqueles que tomam esculacho da polícia à luz do dia, apenas por estar com camisa do Facção Central.

O mais importante e que precisa ser ressaltado é que o Estado é dos poucos mecanismos que poderia ajudar a impor um verdadeiro sistema meritocrático, ajudando a reduzir as desvantagens existentes entre os diferentes estratos sociais, para que as crianças que tiveram o azar de ser menos afortunadas nos ambientes em que nasceram, tenham também menos desvantagens em comparação às crianças que nasceram na Vivendas da Barra Pesada ou em invasão de área ambiental de Angra dos Reis.

Essa discussão nunca será aceita por liberais brasileiros, bolsonaristas e trumpistas por um único motivo, simples e clichê: se eu der a mesma oportunidade de estudo via Estado para esse humano de segunda classe, quem vai me servir? Ivanka sabe disso. Trump também. E o partido Novo, nem se fala. A mulher do Didi então, rapaz, deve ter enviado pedido pro Weitraub não deixar mais ninguém que mora do Tatuapé para trás ter oportunidade de ganhar mais de R$ 5 mil, porque ela cansou de ver gente com camiseta da Rip Curl no aeroporto.

Juninho Pernambucano entende o Brasil melhor que alguns políticos

Em uma longa entrevista ao jornal britânico The Guardian, o ex-jogador de futebol e atual dirigente do Lyon, Juninho Pernambucano, falou sobre algo que ocorreu a muitos de nós: romper com a família.

Até hoje eu vejo muita gente lamentar: "Poxa, o grupo da minha família no zap só tem fake news, ninguém me aceita porque eu voto no Freixo em vez de votar no Daniel Silveira e no Frota. O que eu faço? Me ajudam, Galãs?"

Olha, o que eu posso dizer é que vocês estão atrasados dois anos para tomar uma atitude. Mas eu posso recomendar o que o Juninho fez: se você não pode demitir sua família, se demita dela. Sei que não é possível para todos, claro. Sair do grupo de zap pode fazer com que seus pais coloquem um cadeado na despensa ou você tenha que comer o sobrecu do peru na ceia como punição, mas acredite: vale muito a pena a longo prazo.

E não se preocupe mais se você for um fracasso ambulante que escolheu viver de algo pouco rentável, como engenheiro civil formado, porque seu primo concursado, que sua mãe usa para comparar a você, logo depois da reforma administrativa talvez não tenha nem mais uber para fazer e precise recorrer aos malabares ou a usar os ensinamentos que ele recebeu de música na infância e tocar Anunciação do Alceu Valença, em algum farol da Vila Madalena.

Mas por que eu digo que esse rompimento, seja severo ou suave, é a melhor forma de agir neste momento? Porque a gente não pode se enganar, na esperança de que haverá mudança de comportamento e todo mundo, meio que por mágica, vá começar a concordar com você. Não vai. Esse gado de 30% de reacionários do Brasil sempre vai existir. E o Juninho, ao se posicionar assim, faz isso por não ter mais como fingir moderação a esta altura. Por exemplo: ficamos todos tristes pela morte do George Floyd, e com razão.

Mas Juninho sabe que no Brasil há milhares de George Floyds e que sua família, muitas vezes, vai falar: "Ah, mas se morreu, é porque fez alguma coisa de errado." "Mas, mãe, a menina Agatha tinha cinco anos!" "Nunca se sabe, Enzo, nunca se sabe." Outro ponto que torna difícil manter relações com familiares a essa altura é questão da pandemia. Ok, ok, todos sabemos que as pessoas precisam trabalhar. Mas o Jair Bolsonaro falhou miseravelmente no combate ao coronavírus. Somos o segundo país mais atingido do mundo, o que prova nosso fracasso, já que nem nisso temos conseguido ser campeões no momento.

Juninho tem uma leitura privilegiada e conseguiu o que muita gente não consegue ou não quer conseguir: a independência opinativa.

Diferentemente até mesmo de algumas pessoas de esquerda que acreditam que o Moro pode ser um cara importante no combate ao Bolsonaro, ele deixa claro não acreditar nisso, ainda mais agora que o ex-juiz disse que se sentia em um ringue no julgamento contra o Lula, numa imagem mental que me faz pensar em uma luta entre Hollyfield e Maguila, mas na qual o Maguila ganha porque é o lutador e o juiz ao mesmo tempo.

Outra frase que Juninho diz mostra mais esclarecimento sobre Brasil do que até políticos da oposição têm é sobre Bolsonaro ser filho do WhatsApp e de notícias falsas. "As pessoas que apoiavam Bolsonaro eram maioria e foi decisão minha me afastar delas. Eu sei que alguns deles estão se arrependendo de sua decisão agora. Eles achavam que Bolsonaro era a única opção", diz Juninho.

Aqui ele reforça algo que precisamos largar: a condescendência. Ok. Muita gente é mal informada. Mas sempre houve um voto anti-PT, que é motivado pelo medo. Medo de você ter que dividir sua casa com outra família, medo da Pabllo Vittar, medo de mamadeira de piroca e medo do Haddad ensinar seu filho a dançar como a Anitta na escola. Pô, mas o tiozinho da quitanda não sabe de nada disso. Não, mas eu me afastei mesmo assim, porque muitas vezes aquela sua tia, que faz um ótimo bolo de fubá, poderá arrancar sua unha com um alicate num momento de exceção.

Sobra uma crítica para o jornalismo também. Porque, queiramos ou não, a mídia ainda protege o Guedes. E o Guedes é o maior produtor de pobreza e miséria do país. "A elite não entende o tamanho das desigualdades financeiras no país e, se elas crescerem, haverá violência. Estamos assistindo isso se desenrolar agora. Temos grandes jornalistas em nosso país, mas não um editor que publique o que está por vir." Eu sou jornalista e posso dizer: infelizmente, quando você vira editor, dificilmente escapa da sina de ser pau mandado de um dono que tem interesses maiores.

"Twitter, Facebook e WhatsApp decidiram a eleição no Brasil", diz ele. "Estou cansado de relatar notícias falsas no Twitter. Estou sempre enviando mensagens. Eles são culpados por nossos problemas e não houve nenhuma ação contra eles. Veja quantos canais de extrema direita existem no YouTube. Eles recebem uma quantia enorme de dinheiro para espalhar notícias falsas, mas ainda são autorizados pelo YouTube. Eu relato isso quase todos os dias [para as empresas de mídia social], mas raramente recebo uma resposta."

Realmente tenho até certa pena do Juninho nessa batalha. Ele vive em um meio em que é preciso dialogar diariamente com Neymares e neo pentec tipo Alysson, dizendo-lhes que não, não dá para curar covid com água com limão e alho e nem cantando músicas do Regis Daneses três vezes ao dia. Não dá.

O ex-meio-campista, mais conhecido por suas incríveis cobranças de falta durante uma carreira de 20 anos, na qual venceu 40 jogos pela seleção, diz que aprendeu muito mudando-se para a Europa. "No Brasil, somos ensinados a cuidar apenas de dinheiro, mas na Europa eles têm uma mentalidade diferente. Inconscientemente, fiz um plano de carreira porque queria ir para outro grande clube do Brasil, e não apenas jogar por esporte. Fui ensinado a procurar quem me pagaria mais. Essa é a maneira brasileira."

"Olhe para o Neymar. Ele se mudou para o PSG apenas por causa de dinheiro. O PSG deu tudo a ele, tudo o que ele queria e agora ele quer sair antes do fim do contrato. Mas agora é a hora de retribuir, de demonstrar gratidão. É uma troca, você vê. Neymar precisa dar tudo o que pode em campo, para mostrar total dedicação, responsabilidade e liderança. O problema é que o stablishment no Brasil tem uma cultura de ganância e sempre quer mais dinheiro. Foi isso que nos ensinaram e que aprendemos".

Imagino-o tentando convencer o Neymar a focar na carreira e não na grana: "Cara, você já pode comprar o estado de Santa Catarina e fazer uma enorme rave ininterrupta por 45 anos. E ainda vai sobrar grana pro Davi Lucca fazer banda de pagode, tipo o filho do Zico. Não precisa ser mais ganancioso que isso. Eu sei que quem é pobre tem medo de voltar a ser, mas no seu caso essa chance nem existe".

Neymar é o culpado aqui ou a sociedade brasileira? "É simplesmente o que ele aprendeu. É preciso diferenciar Neymar como jogador e Neymar como pessoa. Como jogador, ele está entre os três primeiros do mundo, no mesmo nível de Cristiano Ronaldo e Leo Messi. Ele é rápido, forte, pode marcar e dar assistência como um verdadeiro número 10. Mas, como pessoa, acho que ele é culpado, porque precisa se questionar e crescer. No momento, porém, ele está apenas fazendo o que a vida o ensinou a fazer."

A paralisação e a falta de empatia dos liberais

A paralisação dos entregadores que trabalham em aplicativos escancarou algo que não chega a ser novidade: o ódio que os liberais brasileiros têm dos trabalhadores e das manifestações por melhores condições para exercer as suas atividades.

Basicamente, o que eles pediam ali não chega a ser nada demais: apenas o mínimo para que a execução do serviço fosse ao menos digna. Alimentação, segurança caso sofressem algum acidente nas motos e bikes, auxílio oficina, um valor maior de remuneração por quilômetro rodado e o mais importante: uma justificativa dos apps quando fossem bloqueados.

Requisições com que qualquer pessoa que não seja escrota concordaria, mesmo depois de analisar e comparar o lucro e o quanto isso custaria para os aplicativos, porque, sim, é possível arcar com essas exigências.

Mas os liberais nacionais discordam porque são, sim, escrotos. E não sou eu que estou falando isso nem levando para o lado pessoal a discordância.

O próprio Guedes assumiu esses dias que, para ser liberal, é necessário muito estudo e que, para ser socialista, basta ter empatia com os mais necessitados, algo que é natural no ser humano e em muitas religiões.

Em resumo: deixou claro que a pessoa que apoia o liberalismo não tem empatia, não leva em conta o sofrimento do próximo e visa apenas o lucro. Só mentiu sobre ter que estudar muito, pois infelizmente a maldade também é inerente ao ser humano e, para ser ruim, ninguém precisa ler livro nenhum, como comprovam os integrantes do Partido Novo, por exemplo. Já outros reforçaram a própria maldade com muita teoria, como é o caso do Samy, que deu um show de escrotidão na paralisação dos apps.

Samy

O comentarista da Globo News fez a seguinte pergunta: "Será que um engenheiro do Google ganha mais do que um caixa de supermercado porque o sindicato dele é melhor? Com certeza não".

Além de não ver o absurdo da comparação, Samy segue mostrando uma completa aversão ao sindicalismo. Aí fica mais fácil entender o objetivo dele.

Não que todos os sindicatos sejam exemplo de transparência, e o dos jornalistas é realmente problemático. Mas caso se queira fazer um comparativo honesto, com a diferença de salário e benefícios, devido à presença do sindicato ou não em uma mesma função, é simples: o trabalhador sindicalizado tem um ganho 33,5% maior.

Nenhum sindicato dará à caixa de super um salário de engenheiro do Google, claro, mas apenas garantirá direitos mínimos, coisa a que liberais não ligam. Vai que com isso uns pobres começam a ascender e virar engenheiro do Google também, né?

O pior é a pessoa realmente crer que não é possível reparar desigualdade por meio de direitos básicos. Isso sendo professor da FGV. Aliás, não é o melhor momento para a instituição, que além de ter tido o Decotelli em seus quadros, ainda tem que lidar com o Samy opinando no melhor estilo comentarista da Jovem Pan na internet.

Samy é mais uma prova de que essa forma que foi usada para produzir o Mark Zuckerberg, o Huck e o economista que errou a previsão do pico da pandemia no Brasil já pode ser descartada. Deu errado e só produziu um combo de clones extremamente desonestos.

Ostermann

Outro que se destacou bastante pela desonestidade intelectual liberal e não pelos estudos, no dia da paralisação, e acabou reforçando a fala do Guedes foi Fabio Ostermann, deputado do Partido Novo.

Assim como o Samy, ele acredita que dar esmola para o motoboy é uma medida melhor do que conceder-lhe direitos. Ele perguntou se as pessoas que defendem mais direitos para os motoboys também dão gorjetas. Segundo ele, essa alternativa é melhor, porque cada um agiria conforme sua consciência para ajudar os entregadores.

Basicamente, tira a responsabilidade dos apps e repassa para o cliente a obrigação de fazer uma caridade, para que o entregador não morra de fome. Na real, no mundo ideal, as duas coisas são melhores, até porque o direito é uma garantia e a gorjeta nunca será garantida.

Esse Fábio ainda foi no meu perfil no Twitter dizer que eu não manjo nada de economia. E acertou. Não manjo. Mas ele finge que sim e aposta em esmola como alternativa para pagamento de entregadores.

E, apesar de não manjar e nem ser um liberal de bochechas rosadas, posso dizer que o Fukuyama, que não está preso ao projeto econômico do Pinochet como o partido do Fábio, já falou que os mercados podem ser livres, mas não deve haver uma exploração da mão de obra altamente desregulada assim.

Além disso, Alan Krueger, que não chega a ser nenhum comunista, antes de morrer alertou as pessoas para o menor poder de negociação advindo do enfraquecimento dos sindicatos no mundo. E para o fato de que o surgimento de vagas precarizadas pode até aumentar a quantidade de pessoas ocupadas, mas não tem impacto na diminuição da desigualdade. Porém, eu não vou esperar esse entendimento de um partido que é simplesmente capacho da concentração de renda infinita.

Narloch

Esse foi mais um que se mostrou incomodado com a paralisação, porque, apesar de fingir que não, sabe que só a luta de classes abala o ultraliberalismo que ele defende.

Tuíte do Narloch: "Houve hoje dois grandes protestos em SP: das vans escolares e dos entregadores de aplicativo. Curioso a imprensa ter dado muito mais atenção à manifestação contrária a grandes empresas.

Bom, em primeiro lugar ele poderia ter ido questionar a chefia de reportagem da CNN, onde trabalha, antes de tuitar. Em segundo, para nós a solidariedade é tanto para com os entregadores quanto para com os motoristas de vans. Só que os entregadores de app são um problema a nível global. Talvez, por isso, tenham chamado mais atenção na pauta. Pelo menos é o que eu acho enquanto jornalista. Mas talvez o Narloch, conhecido por defender a vaidade e ser mais desleixado do que eu em quarentena, saiba mais de jornalismo do que eu.

E depois ele ainda continua a arenga, dizendo que adoraria viver em um mundo em que as leis garantiriam que todos pudessem não ser pobres. Ele pode viver. Se quiser, indico-lhe uma lista de países em que a desigualdade é menor por conta de uma legislação que não permite a escravização de trabalhadores, têm menor corrupção e não permitem uma exploração insana dos trabalhadores. Tem de direita e esquerda. É só ele escolher um. Mas já aviso de antemão: não é os Estados Unidos.

Se ele não quiser, pode aproveitar o momento para escrever outro livro de revisionismo, dessa vez com o título: Uma Nova Perspectiva da Luta de Classes por Meio da Burrice e Mau Caratismo do Guedismo Liberal.

E para finalizar, é bom deixar claro algo que sempre falamos aqui: com o bolsonarismo é mais fácil de lidar porque é primitivo, sem camadas, tá tudo ali, sem maquiagem. Já essa outra galera aí guarda esqueleto no porão enquanto faz chá beneficente.

E querendo ou não, Bolsonaro tem uma "consciência popular", mesmo distorcida, melhor do que a deles. Afinal ele ainda anda na rua, vê asfalto. Se ignora o problema, é outro papo. Os tipos citados são aqueles que têm a barriga branca, não só por serem caucausianos, mas porque não saem de casa para nada. Talvez até por isso temam tanto o aumento nas entregas por app.

São uma versão política do Luciano Huck, que dá gorjetas para o pobre enquanto faz gincana de degradação de fodido na TV.

Basicamente eles falaram que dar esmolas é melhor que dar direitos ou ter uma divisão de riquezas mais justa. É assim que a elite se mantém no poder, dando esmolas ao invés de fazer mudanças mais profundas na sociedade – e isso inclui alguns membros da "esquerda".

Colocar gorjeta como resolução para problema estrutural é uma jabuticaba brasileira, típica do liberalismo da Jovem Pan, CNN e Globo News.

Passado secreto de Deltan Dallagnol

Hoje estamos aqui para nos desculpar por ter falado que o Deltan Dallagnol era um rapaz criado jogando bola de gude no carpete e soltando pipa no ventilador de teto, porque com o tanto de terra que a família dele tem, com certeza o cara passou a infância brincando de outras coisas, como explorar os coleguinhas na colheita de soja e negociar venda de boi nelore para o Zezé di Camargo.

A família do coordenador da Operação Lava Jato, Deltan Dallagnol, tem um longo histórico de disputa por terras em área da Amazônia Legal, no Mato Grosso. Os conflitos envolvem grilagens, autuações por desmatamento ilegal e o recebimento de pelo menos R$ 37 milhões por desapropriações – alto valor que foi contestado pelo Instituto Nacional de Colonização e Reforma Agrária (Incra), que acredita haver irregularidades no pagamento do governo Michel Temer para parentes do procurador com os nomes Sabino, Xavier, Belchior, Vilse, Agenor, Cerci, Veneranda e Ninagin. Achou que estamos falando em outro idioma? Errou.

A família Dallagnol não tem só longo histórico em grilagem de terra, mas como também de ser o terror dos cartórios de Mato Grosso e Paraná.

No início dos anos 80 do século passado, Sabino Dallagnol, avô de Deltan, e os filhos adquiriram terras no município de Nova Bandeirantes, Mato Grosso. Como muitos gaúchos e paranaenses, aproveitaram o apoio da ditadura para comprar a preços módicos grandes extensões de terras na Amazônia Legal. E chegando lá, claro, mesmo antes de desmatar para plantar soja e criar boi, como todo bom sulista, eles devem ter montado um CTG.

Uma série de reportagens do observatório De Olho nos Ruralistas mostra que a história do clã na região teve início ainda na década de 70. Ao longo desse tempo, a família Dallagnol chegou a ter 400 mil hectares na região de Nova Bandeirantes. A área é equivalente ao país africano Cabo Verde. Mas obviamente de verde por lá só tem pasto e cabo, só de enxada.

A reportagem esclarece ainda que, embora Deltan não esteja diretamente relacionado aos casos citados, ele é filho e, portanto, herdeiro de Agenor, um dos beneficiados pela desapropriação do Incra. E que a sua história está longe do discurso anticorrupção que tenta vender com a Operação Lava Jato. Dessa forma, ele deveria ter inserido dez medidas contra a corrupção já dentro da própria família, se queria dar bons exemplos. Só ali, ele mandava para cadeia gente com mais crime que o Eike, o Joesley e o Marcola, juntos. Fica aí a dica, Deltan: sugira a criação da Operação Lava Mato.

O levantamento mostra ainda que os negócios da família na região são geridos principalmente por Xavier e Leonar – esse último conhecido como "Tenente". Os dois são irmãos e já foram flagrados em desmatamento irregular e autuados pelo Instituto Brasileiro do Meio Ambiente e Recursos Naturais (Ibama), por desmatamento ilegal em 2017.

Tenente chegou a receber o título de cidadão honorário de Nova Bandeirantes, oferecido pela Câmara Municipal diante de sua "bravura" e da condição de "ilustre colonizador" e "grande desbravador". Ele também já foi acusado de invadir terras de outros proprietários no município, ao lado de personagens como Laerte de Tal, Pedro Doido e Nego Polaco, esse último um apelido que só poderia ser uma obra do surrealismo genético brasileiro.

O processo de desapropriação da gleba Japuranã, em Nova Bandeirantes, tramita sem solução desde 1996. De um lado, 425 famílias lutam pelo reconhecimento formal de seu direito de permanecer na terra onde trabalham e produzem há mais de vinte anos, em uma área de 66,9 mil hectares – equivalente ao tamanho de Bahrein, país do Oriente Médio, e maior que Singapura, na Ásia. De outro, um grupo de antigos proprietários, boa parte deles ligada ao clã Dallagnol, disputa com o Incra qual o valor a ser pago.

Com esse background familiar, dá para entender porque cara é um mimadinho, como quase todos concurseiros do Judiciário. A maioria é filhinho de papai e quer apenas segurança financeira e status. O senso de justiça social? Esquece.

E nas interceptações das conversas de Telegram do grupo Filhos de Januário que são reveladas semanalmente pela Vaza Jato, nota-se que Deltan se comportava como o principezinho afetado de Curitiba. Mesmo ao ser alertado sobre conduta equivocada no cargo de procurador pelos amigos dos grupos de conversa, ele reagia de forma bem insolente: "O evento? Agradeço a preocupação, mas sou o DELTA, o homem que prendeu o Lula".

Em toda conversa surge a figura de um cara comedido, que tenta evitar o pior e alertar o cara sobre erro de conduta. Os caras falavam por desencargo de consciência, mas naquela época ele já estava perdido.

Numa conversa com Vladimir Aras, fica claro esse cinismo. Enquanto Aras diz que a crítica dentro do MPF estava muito forte, o Deltan age numa sintonia do tipo: "Olha a inveja das inimigas! Deixa eu ir lá no Jô ser aplaudido".

Em julho de 2017, o então corregedor-geral do Ministério Público Federal, Hindemburgo Chateaubriand Filho, que tem o segundo pior nome do TRF4, criticou informalmente a conduta do procurador da República, Deltan Dallagnol, na divulgação de palestra, ressaltou a gravidade da situação, mas deixou de abrir apuração oficial. Foi grave. Ele sabe. Mas preferiu ser corporativista.

Já no dia 19 de fevereiro de 2019, quando Paulo Preto havia sido preso, Dallagnol escreveu que "tem o boato de que parte do dinheiro [de Paulo Preto] era do GM [referência a Gilmar]", no que foi indagado pelo procurador Athayde Ribeiro da Costa: "Mas esse boato existe mesmo?". Acho que nessa época os amigos do Dallagnol já estavam tratando o cara como o terraplanista do grupo. Nem é "esse boato é verdade?", é "esse boato existe mesmo ou você está inventando agora, seu puto?"

Além disso, Deltan estava tão soltinho que se encontrou com o Randolfe Super Topo Rodrigues para tentar derrubar o Gilmar, que, num momento único de genialidade, chamou de brocha institucional. Num desses encontros, foi até fazer apresentação na casa da Paula Lavigne. Imagino como deve ter sido a apresentação de Power Point nesse rolê. E espero que o Caetano tenha recebido o Deltan de cueca, igual naquela foto com Xanddy e Carla Perez.

pólen soft 80 gr/m2
tipologia adobe caslon pro
impresso na primavera de 2020